시민의제사전 2018

시민의제사전 2018

민주시민 교육원 **나락한알** 편저

주민이 직접 결정할 수 없다고?

●

이창우

부산 기장지역의 바닷물을 수돗물로 공급하려던 계획이 이 지역 주민들의 반발로 사실상 좌초되었다. 우리는 이 일을 자율적인 주민 운동의 큰 성과로 기록하는 한편 자본과 영합한 관청(부산시)의 일방 통행식 비민주적 행정이 얼마나 큰 댓가를 치르는지도 기록하고자 했다.

주민의 생명과 건강, 재산에 크나큰 영향을 미치는 일임에도 부산시는 해당 지역민에게 제대로 알리지 않은 채 일을 추진했다. 수돗물 통수가 임박해서야 고리원전으로부터 고작 11Km 밖에 안 되는 바다에서 방사능 오염이 의심되는 해수를 담수화해서 공급할 것이라는 사실이 알려지면서 이 지역 여론이 부글부글 끓기 시작했다. 주민들은 해수담수공급 반대 대책 모임을 만들어 부산시에 항의하는가 하면 촛불집회도 이어가며 적극적인 조직화에 나섰고 주민투표라는 승부수를 띄우기에 이르렀다. 이에 대해 부산시는 "해수담수 플랜트 사업으로 생산된 수돗물의 공급은 '국가의 권한 또는 사무에 속하는 사항'이어서 주민투표 대상이 아니"라는 이유로 이를 거부했다. 그러나 주민들은 "지방자치법에서 상수도·하수도의 설치 및 관리를 자치사무로 규정하고 있는 점, 해수담수화시설 건설사업이 국가의 사무라도 위 사업으로 건설된 시설을 통하여 수돗물을 공급하는 사업까지 당연히 국가의 사무라고 보기는 어려운 점 등에 비추어 담수화 수돗물 공급사업은 자치사무라고 보는 것이 타당하고, 식수 등 생활용수로 사용되는 수돗물의 공급에 관한 사항은 주민의 건강 및 위생에 직결된 문제로서 담수화 수돗물 공급사업은 '주민에게 중대한 영향을 미치는 지방자치단체의 주요결정사항'에 해당하므로 담수화 수돗물 공급사업은 주민투표의 대상에 해당한다."고 주장하며 2016년 3월 19~20일 주민투표를 강행했다. 부산시의 거부로 인해 주민투표는 주민들의 자율적인 힘으로 추진되었고 5만9931명(26.7%)이 참여하여 1만4308명(89.3%)이 해수 담수 수돗물 공급에 반대했다. 부산시는 이 주민투표가 법적 효력이 없다고 주장했으나, 주민의 압도적 다수가 반대하는 것을 무시하고 추진하기도 어려웠다. 민선 시장으로서 주민들의 압도적인 반발을 무릅쓰고 밀어붙이기엔 정치적 부담이 컸을 것이다. 이런 상황에서 2016년 9월 8일 부산지방법원 행정1부(김동윤 부장판사)는 해수담수 수돗물 공급에 반대하는 기장군 의원과 주민들이 부산시를 상대로 제기한 '주민투표 청구 대표자 증명서 거부 취소' 소송에서 주민들의 손을 들어줬다. 재판부는 "담수화된 수돗물을 특정 지역에 공급하는 사무는 수도법 및 지방자치법의 규정 내용이나, 담수화 수돗물 공급이 부산 기장군 일대에 한정된 것으로서 전국적으로 통일적 처리가 요구되는 사무라 볼 수 없는 점"과

"위 사무가 국가와 지방자치단체의 공동사무 라고 하더라도 주민투표 대상에서 제외된다고 볼 수 없다."고 판시했다. 주민들 스스로 지방정부의 일방적 정책결정 과정에 정당한 문제제기를 하고 주민의 의사를 묻는 스스로의 민주적 과정을 실천했고 재판부는 그 정당성을 추인했다. 주민 동의도 없이 일방적으로 정책을 추진하고 반대의견을 무시해온 관행에 강한 제동이 걸린 것이다.

그간 지방정부가 지역개발이나 국가정책이라는 이유로 지역주민의 의사를 묻지도 않고, 혹은 요식적인 절차만으로 포장해 일방적으로 추진한 사업 때문에 크나큰 갈등을 빚어왔다. 밀양 송전탑과 성주의 사드 기지, 강정의 해군기지, 그리고 고리, 삼척, 영광 등지의 핵발전소 건설 등이 그 대표적인 예다. 민주적 의사 형성을 외면한 대가는 주민공동체의 붕괴와 혈세의 낭비로 이어졌다. 4대강 사업도 기술관료적 판단과 토건자본의 요구만이 일방적으로 반영되었다. 피해는 고스란히 공동체의 몫으로 떠넘겨졌다. 낙동강은 녹조 라테로 변해버렸고 낙동강 물을 취수하는 부산과 경남의 하류지역은 최악의 수질 오염으로 수돗물 불신이 최고조에 달했다.

뿐만 아니라 퇴적되는 토사로 혈세를 들여 준설을 거듭해야 하는 딜레마에 빠져 있다. 신고리 5,6호기 건설은 9명의 원안위원이 밀실에서 결정했다. 민의의 전당이라는 국회조차 이 결정을 거부할 수 없도록 되어 있다. 후쿠시마 핵 참사 이후 핵 발전에 대한 위험성을 경고하는 목소리와 시민의 불안은 하루가 다르게 높아지는데 이를 통제할 민주적 거버넌스는 없다.

물은 생명과 직결되어 있는 필수적인 공공재다. 우리가 세금을 내는 이유는 이런 공공재를 모두가 마음 놓고 이용할 수 있도록 국가가 관리하라는 것이다. 그런데 이것을 누군가가 독점하고 돈벌이 수단으로 사용한다면 어떻게 되겠는가? 필수공공재 마저 상업적인 돈벌이 수단으로 삼도록 허용하는 순간 대재앙은 불가피하다. 지금도 강을 오염시켜 수돗물 불신을 키우고 2,300배[1]나 비싼 생수를 사 먹으라고 강요하고, 방사능 오염이 의심되는 바닷물을 담수화 해 팔아먹겠다는 것조차 합리화 한다.

기장주민들의 해수담수 공급 반대 주민투표는 이런 모든 일방통행식 불의에 대해 주민 자율의 민주주의로 맞서 싸운 하나의 역사적인 투쟁이며, 그 불의에 제동을 건 사건이다. 지역개발과 국책사업으로 포장된 관료적 행정 하나하나 주민의 의사를 물어 결정하도록 하는 민주적 거버넌스를 제도화하는 과정이 지금 당장 힘차게 추진되어야 한다.

---

1. 4人가족 한 달 '물 45L' 쓰면⋯ 수돗물 27원, 정수기 2만원, 생수 6만원(국내 · 수입 5개 평균)
http://news.chosun.com/site/data/html_dir/2013/08/21/2013082100178.html

차 례

시민과 함께하는 '시민의제사전'

민주시민교육원 나락한알은 2012년부터 부산 시민들이 직접 부산의 의제를 만들어가는 "시민의제 활동"을 이어가고 있습니다. 2016년까지의 〈시민의제사전〉은 문화, 복지, 생태, 도시재생, 분권, 경제, 공공의료, 교육, 지방정치 등 모든 분야를 아울러 의제를 담아냈으나 2018년부터는 한 가지 주제를 중심으로 깊이 있는 의제를 담아내고자 합니다.

이번 〈시민의제사전 2018〉의 중심 주제는 **"안전—물과 원전"**입니다. 2016월 8월부터 "물과 민주주의" 강좌를 진행하면서 물의 공공성, 부산 해수담수화 사업, 핵과 안전 등에 관한 부분을 시민들과 함께 공부하고 의견을 함께 나누었습니다. 그리고 2017년 9월 25일 ~10월 25일까지 한 달간 부산 시민 203명을 대상으로 설문조사를 진행하여 시민들이 바라 본 지역의 수돗물 정책과 건강권 문제를 시민들과 함께 생각해 보았습니다.

앞으로도 민주시민교육원 나락한알은 시민들과 함께 "시민의제 활동"을 이어가고자 합니다. 여러분의 지속적인 관심과 협조 부탁드립니다.

가정에서 수돗물을 마시는 물로 이용하시나요?

응답 202개

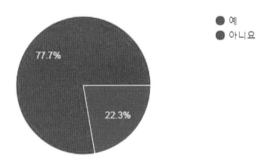

● 예
● 아니요

77.7%

22.3%

수돗물을 마신다면 그 이유는 무엇인가요?

응답 45개

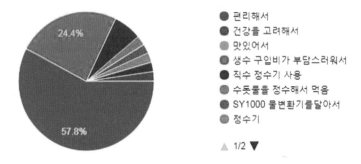

● 편리해서
● 건강을 고려해서
● 맛있어서
● 생수 구입비가 부담스러워서
● 직수 정수기 사용
● 수돗물을 정수해서 먹음
● SY1000 물변환기를 달아서
● 정수기

⚠ 1/2 ▼

24.4%

57.8%

수돗물을 마시는 물로 이용하지 않는다면 가장 큰 이유는 무엇인가요? 응답 194개

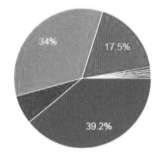

- 상수원수 오염에 대한 우려때문에
- 맛과 냄새 때문에
- 급수관의 녹물이나 이물질...
- 막연한 거부감 때문에
- 식수로 사용하지만 끓여서...
- 정수기사용
- 위의 이유들 모두 때문에
- 상기 사항 모두 해당
- 막연한 거부감 제외한 위 세...

응답자의 77.7%인 157명이 가정에서 수돗물을 마시는 물로 이용하지 않는다고 답했습니다. 수돗물을 마시는 물로 이용하는 응답자는 전체의 22.3%인 45명이었는데 편리해서(57.8%), 생수 구입비가 부담스러워서(24.4%) 수돗물을 이용하고 있는데 그 외 정수기를 사용(15.5%)하고 있는 응답자도 다수 있었습니다. 수돗물을 마시는 물로 이용하지 않는 응답자들은 상수원수 오염에 대한 우려(39.2%), 급수관의 녹물이나 이물질(34%)때문에 편리성에도 불구하고 마시는 물로 수돗물을 이용하지 못하고 있었습니다. 특히 막연한 거부감 때문에(17.5%) 수돗물을 이용하지 못하는 응답자도 다수 있어 시민들의 수돗물에 대한 불신이 큰 것을 알 수 있었습니다.

부산시 수돗물 브랜드 '순수365'를 알고 계십니까?

응답 201개

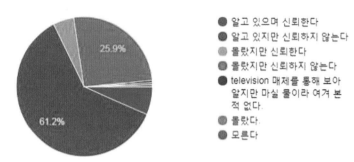

- 알고 있으며 신뢰한다
- 알고 있지만 신뢰하지 않는다
- 몰랐지만 신뢰한다
- 몰랐지만 신뢰하지 않는다
- television 매체를 통해 보아 알지만 마실 물이라 여겨 본 적 없다.
- 몰랐다.
- 모른다

수돗물에 대한 시민들의 불신은 '순수365'라는 부산의 수돗물 브랜드 신뢰도 조사에도 87.1%가 신뢰하지 않는 것으로 평가하여 다시한번 시민들의 부산 수돗물에 대한 불신을 확인할 수 있었습니다.

기장 해수담수 공급에 대한 주민투표를 알고 있습니까?

응답 202개

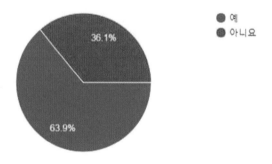

- 예
- 아니요

기장 해수담수 공급에 대한 주민투표는 응답자의 63.9%가 알고 있었고 원전(핵발전소)에서 유출되는 방사능의 위험(59.2%)을 가장 우려하면서 주민의 동의를 얻지 않고 진행되는 일방적 행정(30.3%)

의 문제도 지적했습니다. 기타 의견으로 해수를 담수화해서 공급해야 할 만큼 비상상황이 아닌데 생명의 문제를 기계적으로 접근(0.5%)했다는 문제의식도 있었습니다.

기장 해수담수 공급에서 가장 시급한 문제가 되는 부분은 무엇이라 생각하십니까? 응답 201개

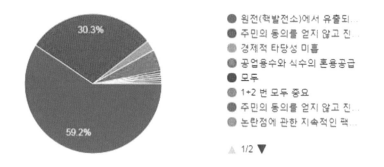

수도 정책과 원전(핵발전소) 정책에서 부산이 안전하다고 생각하십니까? 응답 203개

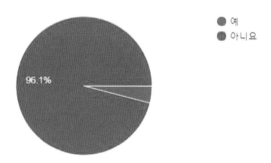

수돗물에 대한 불신, 기장 해수담수 공급문제에서 알 수 있는 시민들의 원전(핵발전소)에 대한 우려로 부산을 안전하지 않은 도시로 생각하는 시민들은 전체 응답자의 96.1%나 되었습니다.

원전(핵발전소)을 그대로 존치할 것인지 폐기할 것인지에 대해 어떻게 생각하십니까? 응답 203개

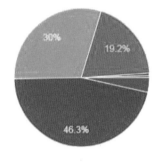

- ● 그대로 존치
- ● 완전 폐기
- ● 대체 에너지를 강구하며 점진적 폐기
- ● 대체 에너지를 사용하며 점진적 폐기
- ● 어제태양광을설치 했슴
- ● 대체 에너지 개발과 사용. 신고리 공사 중단과 점진적 폐기

원전(핵발전소)을 그대로 존치할 것인지 폐기할 것인지에 대해 어떻게 생각하십니까? 응답 203개

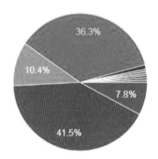

- ● 수질오염을 정화하는 시설...
- ● 오염원이 되는 공단이나 시...
- ● 폐수 불법방류나 수질오염...
- ● 4대강 사업으로 설치된 낙...
- ● 4대강 사업 으로 설치된낙...
- ● 현재 수질과 급수로 제공되...
- ● 위의 조치 모두 단계적으로
- ● 산업용SY1000를변환기를...

⚠ 1/2 ▼

'안전한 부산'을 만들기 위해서는 어떻게 해야할까요? 시민들은 원전(핵발전소)에 대해서는 그대로 존치하자는 의견은 3.4%에 불과했고 96.6%가 폐기를 제안했습니다. 완전 폐기(46.3%), 대체 에너지를 강구하며 점진적 폐기(30%), 대체 에너지를 사용하며 점진적 폐기(19.2%) 등 대체로 지역 시민들의 의견은 원전(핵발전소) 폐기

에 중심을 두고 있었습니다. 또한 부산의 수돗물 문제도 오염원이 되는 공단이나 시설물(핵발전소 포함)을 이전하고 규제하자(41.5%), 4대강 사업으로 설치된 낙동강 9개 보의 수문을 전면 개방하고 낙동강 수질을 개선하자(36.3%), 폐수 불법방류나 수질오염 사고의 처벌을 강화하자(10.4%), 수질오염을 정화하는 시설을 확대하자(7.8%)는 의견을 제안했습니다. 기타 의견으로 현재 수질과 급수로 제공되는 물의 안전에 대한 투명하고 확실한 공개(0.5%), 모든 조치 단계적으로 시행(0.5%), 산업용SY1000 물 변환기를 상수도에 달아야 함(0.5%), 시설의 안전성 검증 및 연구(0.5%), 모든 조치를 단계적 시행함과 동시에 시민들에게 상황을 수시로 공유(0.5%)하라는 의견이 있었습니다.

안전한 물을 마시기 위한 제안

1. 원전(핵발전소)을 폐기하라.
2. 낙동강 유역 오염원이 되는 공단과 시설물을 이전 또는 규제하라.
3. 4대강의 보를 전면 개방하여 강의 수질을 개선하라.

민주시민교육원 '나락한알'은 2016년 8월부터 강좌, 간담회, 설문
조사 등을 통해 시민들과 소통하면서 부산시의 수도정책과 원전(핵발
전소)에 대한 의견을 들어왔습니다. 참여 시민들이 부산시에 제안하
는 것은 어떤 것들이 있는지, 시민들의 의견을 정리해보았습니다.

● 지역의 건강권 문제를 일부 시민들만 관심을 가지는 것 같다. 이
런 문제의식을 다른 시민들과 함께 공유할 수 있으면 좋겠다.

● 기장해수담수화 공급에 대한 주민투표에서 수질검증위원회와 주
민투표는 별개의 문제이다.

● 기장해수담수화 공급 문제를 기장 주민 내의 문제로 국한시키지
말고 부산시 전체의 문제로 생각해야 한다.

● 원전, 지진 등의 문제사항을 시민들에게 널리 알려야 할 필요가
있다. 원전거리표지판이나 현수막 같은 것을 설치하면 좋겠다.

● 요오드약이 발전소 부근 지역의 보건소, 동사무소에 비치되어 있
는 것을 잘 모른다. 물론, 요오드약이 만병통치약도 아니지만 일
본처럼 가정 상비약으로 배부할 필요가 있다. 그런데 우리나라에
서 요오드약은 처방전이 필요한 약품으로 분류되어 상비약으로
구비하기도 어려운 실정이다.

● 원자력안전위원회를 독립적 감시기구로 만들어야 한다.

● 아이에게 핵발전소를 설명하기 어려웠다. 각 도서관 등에는 이미
한국수력원자력에서 만든 관변단체의 '핵발전소는 안전해요'라는
안내책자가 이미 많이 비치되어있으나 그에 반대되는 안내책자는
전혀 없었다. 너무 한국수력원자력 측의 이야기만 넘치는 것 같

다. 이를 교정하기 위해서라도 보다 객관적인 아이, 청소년용 핵발전소 안내책자가 필요하다.

- 부산의 대다수 시민들이 핵발전소가 얼마나 가까이 있는지 잘 모르고 산다. 게다가 방사능 유출 사고가 나면 내가 있는 자리에서는 어떻게 해야 하는지도 잘 모르고 그 위험성에 대해서 잘 모르고 살아간다. 그래서 큰 도로에 있는 교통표지판에 원전과의 거리를 표시하거나 사람들이 다니는 버스정류장, 지하철역 등에 안내표지판을 설치하고 원전과의 거리, 대피요령 등을 알려야 한다.

- 핵발전소 인근 주민들과의 소통이 문제다. 인근 주민들은 원전은 반대하지만 원전이 없으면 먹고 살기 힘들다는 생각에 핵발전소를 받아들인다. 그들에게 위험하다는 말만으로는 설득하기 어려우므로 오히려 더 강력하게 원전문제를 주장해야 한다고 생각한다.

- 원전문제를 부산시민 모두의 문제로 인식시키려면 원전이나 해수담수화 문제를 공론화하고 알려야 한다. 특히 대피매뉴얼은 부산시민 모두가 숙지하도록 부산시가 앞장서서 교육해야 할 것이다.

- 부산시의 방재예산이 너무 적다. 그 적은 예산도 엉뚱하게 써버려 시민들에게 실질적 도움이 되지 않는다. 도시재생사업, 도시환경계획과 체계적으로 연관하여 예산수립과 집행을 구체적으로 진행하고 공개해야 한다.

- 주민들의 동의 없이 어느 날 갑자기 계획이 바뀌어 해수담수 수돗물이 공급된다고 했다. 일상적 민주주의가 파괴되었고 주민들의 뜻을 정부에 전달할 방법도 항의할 방법도 없었다. 그리고 주민투

표가 있었다. 이러한 주민 생활에 밀접한 정책은 주민들의 의견을 물어야 하는 것 아닌가? 그런 관계법령이 없는 것인지 모르겠지만 주민투표와 같은 민주주의 경험을 발전시켜 나가면 좋겠다.

● 수돗물을 공급하는 물은 상수원 보호구역으로 수질관리를 꾸준히 하고 있다. 그런데 바닷물을 담수화하여 수돗물로 공급한다면 바닷물의 수질검증이 가능한지 모르겠다. 해수담수 수돗물을 공급하려면 상수원 보호구역을 바다까지 확대해야 한다.

● 빗물을 상수도로 이용하는 방법을 상용화 할 수 있도록 한다.

● 행정가들의 소통 중심의 정책 개발이 필요하다.

● 원전이 사용할 때는 경제적으로 저렴해서 사용한다고 하지만 방사능이나 폐기시에 많은 위험이 있기 때문에 장기적으로 환경을 고려한다면 점진적으로 폐기해야 된다고 본다.

● 낙동강 수질이 마시기에 부적합할 정도로 수질이 오염되었다고 원전에 방사능의 위험을 알고도 해수 담수화된 공업용 물을 식수로 사용한다는 것은 국민의 건강을 담보로 한 억지 정책이라 생각한다.
해수 담수화 된 물을 사용하기 이전에 낙동강 수질을 먼저 개선할 수 있는 다양하고 다면적인 정책과 시민들의 적극적 의견 수렴이 선행되어야 한다. 그리고 정책을 시행때에는 믿을 수 있는 투명성과 신뢰성을 갖추는 것이 무엇보다 중요하다.

● 먹는 물 수질개선을 위해 노후관 교체도 중요하지만 낙동강 수질 개선이 선행 되어야 하기에 4대강 사업으로 막혀있는 보를 개방해서 물이 흘러야 사람이 먹을 수 있는 물이 될 것이라 생각한다.

원전은 늘 불안 하게 느껴지는 부분인데 거기다 해수담수는 먹을 수 없는 것이다. 부산 시민으로서, 해운대 구민으로서 절대 반대한다.

● 원전폐기정책을 만들고 그에 따른 교육이 필요하다.

● 원전 문제와 관련하여 한수원 및 해당 지방행정처에서 지역민의 의견을 지속적으로 수렴할 수 있는 제도를 만들어야 한다. 원전 문제에 있어서는 특히 위로부터의 행정이 아닌 아래로부터의 행정이 되어야 한다. 이는 해당 지역민의 생존과 안전과 직결되는 문제이고, 국가는 국민의 생명과 재산을 보호해야 할 의무가 있기 때문이다.

또한 핵발전소 주변 위험지역 주민들에게 위기 시 대피요령과 안전교육이 상시 시행되어야 한다. 하지만 무엇보다도 위험요소를 늘 안고 있는 핵 발전 시설 대신 대체에너지 개발에 더 주력하고, 현재의 핵발전소를 줄여나가야 하며, 결과적으로는 완전 폐기해야 할 것이다.

● 원전 폐기를 전제로 한 향후 대안을 공개적으로 논의해야 한다.

● 부산시에서 주도해서 탈핵 교과서를 만들어 청소년 대상 학교 교육을 시행한다.

● 원전 완전 폐기와 4대강 복원사업을 즉시 시작한다.

● 물 없이 사람이 살 수 없듯 물은 가장 기본적이 삶의 기초이다. 믿고 마실 수 있는 물을 위해 우리가 마시고 이용하는 물이 안전하고 깨끗한지에 대한 정보공개와 홍보가 필요하다.

● 탈원전에 대한 부산시와 정치권의 의지가 필요하다.

- 부산의 정책을 만들 때 시에서는 해당 주민들과 충분한 대화를 통해 문제해결하려는 의지가 필요하다.
- 필요 없는 보도블럭만 공사한다고 예산 낭비하지말고 노후한 수도관을 교체하는 것에 예산을 사용해야한다.
- 저는 해수담수화 사업 찬성합니다. 식수용 시설 이용했으면 합니다.
- 원전의 완전 폐기가 당장은 힘들 것이라 생각한다. 하지만 점진적 폐기를 선택한다면 그것이 핑계가 되어 폐기하지 않을 거란 우려가 선택을 강고하게 만들고 있다. 그만큼 정부 정책에 신뢰가 없다는 것이다.

  원전에 대한 정보를 투명하게 공개하고 교육해야 한다. 그렇게 되면 함께 고민하고 방향을 찾을 수 있을 것이다. 정기적인 교육 프로그램을 운영해 보자.
- 원전가동 전격 중단
- 일상의 민주주의를 회복하기 위해서는 공무원과 관공서의 구태의연한 행정방식과 안일한 '철 밥통' 사고방식을 개혁하지 않으면 안 된다.
- 신규 원전을 더 이상 짓지 않으려면 전기를 아껴 써야 한다. 특히 공공기관 시설규모를 확대하는 것을 방지하자.
- 대체에너지 개발을 위한 범국민 아이디어 공모전을 해보는 것은 어떨까?
- 생활의 기초가 되는 물만이라도 안전하게 먹을 수 있기를 바란다.
- 수돗물 불신의 경우 공무원도 먹지 않는 물을 시민에게 먹으라는

것부터 문제가 있다고 생각한다. 부산시는 우선 시민들에게 신뢰부터 쌓아야 할 것이다.

- 사실 수돗물을 마실 수 있다면 편리하고 더욱 좋을 것이다. 게다가 가정이나 식당 등에서 음식을 할 때는 대게 수돗물을 사용하니 우리는 수돗물을 어느 정도 먹고 있는 셈이다. 그러니 원수를 깨끗하게, 수도관을 깨끗하게 해서 모두가 안심하고 수돗물을 마실 수 있도록 해야 한다.

- 산성이나 관광지 주변의 불법 식당시설, 불법 숙박시설 등에서 나오는 오폐수에 대한 부분도 단속을 철저히 하고 처벌을 강화했으면 좋겠다. 그리고 수돗물에 대한 홍보를 정수기회사 홍보만큼, 사람들에게 각인 시킬 수 있을 만큼 각종 공원 등지에서도 홍보활동을 자주, 제대로 했으면 좋겠다.

- 수시로 안전수질검사를 하고 안전도를 부산시민에게 알려주면 좋겠다. 또한 공업용수와 식수는 확실히 구분되어야 한다.

- 자연스러운 행정이 필요

- '순수365'(해수담수 수돗물)을 학생들이 모이는 행사에서 나눠주지 않았으면 한다.

- 해수담수화 물을 식용으로 사용하는 것을 반대한다.

- 0.1%의 위험성이 있다면 핵발전소의 추가 설치는 하지 않는 것이 좋다. 지금 가동중인 핵발전소도 안전하게 폐기할 방법을 정부에서 찾아주길 바란다. .

- 부산시에서 시행하는 행정시책이 시민들에게 신뢰를 줄 수 있도록 먼저 불신을 없애는 것이 필요하다. 그러기 위해서는 정확하고

믿음직한 근거자료가 필요할 것 같다.

- 4대강 비리조사
- 핵발전소 폐쇄
- 시민들이 수돗물에 안전과 신뢰를 가지게 하고 싶으면 그만한 믿음을 줘야 한다. 4대강과 원전같은 환경을 위협하는 요소들에 더 주의를 기울이고 시민단체들의 목소리를 듣고 적극적으로 시민들의 의견을 수렴하자.
- 무조건적인 원전 폐기가 아닌 대체 에너지 강구가 선행되어야 한다. 원전을 완전히 대체할만한 대체에너지가 없다면 원전 안전성 확보를 통해서 안전한 원전에너지를 사용해야 하는데 한국은 이미 원전에서 높은 기술을 보유하고 있으므로 원전안전에 시민들이 신뢰할 수 있도록 부산시가 만들어야 한다.
- 원전의 사용은 경제성이라는 항목에서 합격점을 받을만 하지만 국민들의 불안을 이고서 시행함은 옳지 않다. 따라서 대체에너지를 강구하면서 폐기해나가야 한다.
- 부산은 낙동강의 하류에 위치해 원수가 깨끗하다는 신뢰를 얻지 못하니 해수 담수화라는 대안은 좋으나 방사능이 우려된다. 따라서 강변수 등의 새로운 대안 제시나 수처리 시설의 확대가 필요하다.
- 원전 운행을 중단하는 방향으로 나아갔으면 좋겠고 행정을 투명하게 시민이 모두 알 수 있게 알려주어야 한다.
- 낙동강의 녹조라떼를 볼 때마다 마음이 답답하다. 빨리 강이 숨쉴 수 있도록 도와달라.

- 물 정화시설 확대
- 원전의 즉시 폐기와 수질 관리에 대한 규제 강화
- 지금 당장 핵발전소를 폐기하고 4대강에 설치된 보들을 철거해야한다.
- 없으면 없는대로 살아진다. 우리 삶을 완전히 파괴할 수도 있는 위험물인 원전을 일단 완전폐기하고 대책을 생각해보자.
- 원전 전면 폐기! 담수화 폐기!
- 4대강을 좀 어떻게 해주길 바란다..
- 경제적 이익을 우선하기 보다는 시민의 안전한 생활을 우선해야한다. 원전은 과거 일어난 두 번의 원전 사고를 바탕으로 그 심각성이 충분히 예상되고 있으니 현재 노후화된 원전을 연장하여 가동시키는 것, 새로운 원전을 건설하는 것을 즉각 중단해야 한다. 그리고 전력 절약을 위한 시민의 의식 개선 및 노력 촉구를 하기 위한 계획을 세워 실행해야 한다. 재생에너지 사용을 위해 시에서는 정책을 마련하고 널리 홍보를 한다면 도움이 되리라 생각한다.
- 5,6호기 건설중단. 탈핵으로 정책을 정하고 폐쇄하자. 핵폐기물처리에 대해서도 주민들과 소통해야 한다. 방사능 유출시 주민 대피와 피해보상 등을 확실하게 제안하고 해수담수화 물을 먹고 싶지 않다는 시민들의 의견을 반영해야 한다. 이대로는 부산시에서불안해서 못 살 것 같다.
- 잘못된 결정과 부패에 대한 강력한 처벌과 정책에 대한 시민의 참여, 그리고 4대강 복원을 주장한다.
- 4대강 사업의 전면 재검토와 탈원전

- 부산시는 돈벌이가 아니라 시민의 안전을 먼저 생각하고 정책을 만들어야 한다.
- 낙동강 수질개선에 도움이 된다면 4대강 수문을 임시로 열고 수질관리에 가장 위협적인 공장폐수가 방류되지 않도록 감시하고 정화시설 관리 감독을 철저히 해야 한다. 그리고 가정에서도 과도한 세정제 사용을 자제하도록 교육하고 시에서 앞장서서 홍보할 필요가 있다.
- 낙동강 다시 살리기
- 먼저 핵발전소의 완전한 폐기와 4대강의 보 철거, 철두철미한 상하수도 수질 관리가 꼭 필요하다.
- 대체에너지 개발로 핵발전소를 점진적으로 폐기하고 안전한 수돗물 공급 위해 지리산쪽 물 끌어쓰면 좋겠다. 낙동강하류 4대강 사업과 각 공장폐수, 하구둑으로 인해 낙동강의 수질은 벌써 엉망이라고 본다.
- 부산시가 앞장서서 '핵 발전 없는 도시'를 선언하고 신규로 짓고 있거나 계획하고 있는 핵 발전은 당장 포기 선언을 해야한다. 아울러 환경에너지 개발에 대한 청사진을 밝혀야 할 것이다.
- 부산시에서 해수담수화 물을 시민들에게 먹일 생각을 하다니, 놀라울 따름이다.
- 원전 폐기, 대안 에너지 확대
- 친환경적이고 지속 가능한 에너지를 위해 전문가와 함께 주민의 의견을 수렴하면서 공동 논의의장을 열어 대안을 찾도록 부산시에서 앞장서야 한다.

- 신재생에너지 확장
- 원전은 득보다 실이 많다. 혹여 사고라도 생기면 돌이킬 수 없는 재앙이 닥친다.
- 수돗물 불신을 해결하려면 물과 관련한 투명한 행정을 시행해야 한다.
- 발전소에서 전기를 얻을 수 없을 때 사용할 대체에너지에 대한 홍보가 필요하다
- 투명한 공개
- 전임 정권의 부패세력을 척결하고, 정경유착의 고리를 끊어야 하며 무엇보다 시민의 목소리를 수용하는 투명한 시정이 우선되어야 한다.
- 우선 5,6호기 건설을 중단하면 좋겠다. 그리고 낙동강 수질 개선을 위해 4대강 때 설치된 보도 제거하자.
- 핵발전소 폐기!!!
- 4차산업의 중심은 물이다.
- 물만이 태고적의 환경으로 되돌릴 수 있는 것이라 생각한다.
- 부산의 먹거리는 중요하다. 전국 상수도에 오폐수를 정화시키고 냄새를 잡아주는 한국인의 세계적 발명품을 설치해야 한다. (변상률 박사의 선파이 SY1000 이다.) 수소이온용농도 ph7.2, 용존산소량DO,ppm9.2, 67가지광물질, 탁도0.08
  철마 아홉산 구지뽕 삼계탕에 설치한지 2년이 넘었는데 식당에 오는 모든 사람들에게 실험해보고 자신감으로 과감하게 이야기한다. 상수도본부가 역학조사를 꺼린다면 연구원들이 음수대를 만

들어서 실험해보는 것도 좋다. 이를 국가정책에 반영하고 전 세계로 플랜트를 수출해야 한다.

전기는 생활이고 물은 생존이다. SY1000 물을 접하고 모두가 매니아가 되었다. 4대강의 오염도 생활하수다. 이를 상수도본부에 설치하여 하수처리에 들어가는 세금을 줄이고 석유에도 설치하여 석유 수입을 20% 적게 하여 낭비를 줄여야 한다.

완전연소로 자동차 배기가스 문제가 해결되고 특히 화물차, 장림 피혁공단, 동강악취, 하수종말처리장 등에 설치를 원한다. 원자력에 사용하는 중수로도 이용할 수 있다고 생각한다. 냄새 없고 깨끗한 환경을 만드는데 시민참여가 중요하다. 아무리 설명해도 공무원은 복지부동이다.

- 시민을 존중하고 상식이 통하는 세상을 만들어야 한다.
- 핵발전 전면 폐기 이후에는 해수담수화 프로젝트 진행이 가능하다.
- 수돗물 불신을 해결하기 위해서는 지속적이며 안전한 원수확보를 우선해야 한다.
- 노후화된 원전 폐지와 신고리5,6호기 건설 중단, 기 사용중인 원전 관리를 철저히 해야 한다. 아울러 낙동강 보 수문 개방과 수질 개선도 시급하다.
- 관련 자료가 늘 공개되어서 투명하게 행정이 진행되야 한다.
- 안전성에 대한 현황과 분석을 투명하게 공개하고 점검시스템을 제도화 해야 한다.
- 시민의 목소리에 귀를 기울이고, 우리 아이들의 미래를 생각해서 친환경 재생에너지 개발 및 연구를 해 주기 바란다.

- 정책을 만들 때 꼭 공정한 룰을 만들어 투명하게 추진하면 된다.
- 원전 추가 건설 중지 및 대체 에너지 마련, 수돗물 수원 수질 관리 강화
- 원전을 폐기하고 정화시설 확충
- 고장, 폐수 등 불법행위의 처벌 규제 강화하고 낙동강 오염을 정화 시키는 정책을 펼쳐야 한다.
- 기장해수담수화 사업은 기존 취지대로 공업용수로만 사용하도록 하자.
- 원전 정책은 영화 판도라와 같은 상황을 배재할 수 없으므로 가능한 빨리 원전시설물을 폐로 해야 된다고 생각한다.
- 대체 에너지원을 지속적으로 발전시키고, 원전을 줄여나가야 한다.
- 기장 원전 5, 6호기는 폐쇄해야 하며 오염시키는 근원인 4대강 보를 없애야 한다. 물론 오염시키는 것에 대한 벌칙도 강화시켜야 한다.
- 핵발전소는 당장 해체하고, 낙동강을 살리는 일에 만전을 기해야 한다.
- 원전과 4대강과 관련된 정책은 100% 투명하게 추진해야 한다.
- 사람이 먼저인 정책
- 기존의 원전 정책을 보완하면서 시민에게 알리고 토론하는 자리가 많아져야 한다.
- 해수담수화 수돗물 공급은 부산시가 포기해야 한다. 그리고 낙동강 수질 개선을 위한 광역 지자체 간 협력을 강화하자. 수돗물 병입수 공급은 당장 중단해야 할 것이다. 수돗물 민영화 정책으로

의심받을 수 있는 정책(해수담수 공급 등)은 폐기하자.

- 탈원전을 바란다.
- 신고리5,6호기 백지화와 부산시 수돗물 상수원 실태조사가 필요하다.
- 안전이 미래다.
- 시민이 참여하는 대책위를 꾸려 진행해야 한다.
- 주민 의견을 듣고 수렴하는 열린 정책이 중요하다. 물 이용 부담금 제도를 개선하고 신고리 5,6호기 폐쇄에 지자체의 의지를 보여야 한다.
- 수질오염을 정화하는 시설을 확대하고 폐수 불법방류나 수질오염 사고에 대한 처벌을 강화해야 한다. 그리고 4대강 사업으로 설치된 낙동강 9개 보의 수문을 전면 개방해야 낙동강 수질을 개선 할 수 있을 것이다.
- 원전은 점진적으로 폐기한다.
- 핵 발전소는 점차 폐기해야 한다고 생각한다.
- 핵발전소 폐기, 수도관 전면교체
- 신재생에너지에 투자하고 낙동강 수질 개선을 위한 부산시와 사회 전반적인 노력이 필요하다.
- 대체 에너지 발전 전략을 부산시에서 선도적으로 수립해달라. 그리고 안전한 식수 공급을 위한 전략도 수립이 필요하다.
- 관련 분야 전문가 및 단체 활동가, 정책 실무자들의 토론이 활성화되고, 주민들에게 올바른 정보가 제공되면 모두 함께 슬기롭게 문제를 풀어갈 수 있을 것이다.

철마면사무소 앞 구지뽕 삼계탕 운영 시민

개인적 생각이지만, 물 문제를 해결하는 방안을 제안하자면, 1) 양질의 수돗물을 사용하자는 것이고, 2) 비싼 수돗물의 용도를 구분해서 사용하자는 것입니다. 양질의 수돗물과 청소나 화장실 물에 쓰는 허드렛물로 나누어 쓰는 겁니다. 3) 물이 일반물보다 무거워야 한다고 봅니다. 기체화되는 방사능을 막기 위해 원전에 물을 뿌리고 그 물을 다시 걸러야 하지 않을까요? 4) 원전 대피가 워낙 어려우니, 흙으로 집을 덮어서 방사능 피해로 줄이는 주택을 만드는 건 어떨까 제안해봅니다. 길거리에서 길이 막혀 도망 못가서 낙진으로 사망하는 것보다 낫지 않을까요?

답변 : 좋은 제안 감사합니다. 양질의 수돗물을 사용하자는 의견과 상수도 하수도 사이에 '중수도'를 만들자는 제안도 감사합니다. 중수도 사용과 관련된 문제는 지속적으로 문제를 제기하고 있고, 사적으로 만들어 사용하는 곳도 있는 걸로 압니다. 이를 제도화할 필요가 있는지에 대해서도 다방면으로 논의되고 있는 중인 것으로 압니다. 그럼에도 중수도 사용문제와 양질의 수돗물 공급과 사용에 대해서는 적극적으로 논의할 필요가 있다고 봅니다. 그리고 기체화된 방사능을 막기 위에 원전에 물을 뿌리는 계획은 기술적으로 풀어가야할 문제가 아주 많다고 보고요. 그 물을 제대로 분리해 수용해서 거르는 데에도 기술적 문제가 많은 듯합니다. 끝으로 마지막 제안도 굉장히 창의적인 대안입니다. 사실 원전사고에 대한 대비 훈련이나 대비책이 거의 마련되어 있지 않은 상황에서 거의 절망적으로 나온 제안으

로 생각이 됩니다. 비용 문제든, 개인의 권리침해든, 도시 계획상의 문제이든, 위 제안은 다양한 문제로 인해 실제로 현실화되기는 매우 어려워 보입니다.

정당활동가

해수담수의 주된 민영화기업은 두산과 LS산전, 삼성 물산 등입니다. 원전 유지는 이런 독점 기업에 혜택을 주는 것인데, 정작 재생 에너지도 두산 LS산전, 삼성 물산 등입니다. 결국 에너지와 물 정책에서 좀 더 공공성을 가지 차원의 접근이 필요하다고 봅니다.

낙동강 오염방지회 활동가

낙동강이 만약 우연한 사고로 대규모로 오염이 되었을 경우, 이를 대체할 방법이 없습니다. 녹조 문제나 가뭄으로 낙동강 물의 사용이 어려울 수도 있습니다. 따라서 해수 담수는 비상시 사용으로 남겨 두는 것도 합리적이지 않을까 생각합니다.

답변 : 비상시 사용으로 남겨두는 것도 합리적이긴 하지만, 최선을 생각해보는 것도 좋지 싶습니다. 위에서 논의된 바대로 비용이 많이 들고, 에너지 낭비도 심하며, 피폭의 위험이 있는 물은 비상시에라도 사용하지 않는 것이 좋지 않을까요? 오히려 더 좋은 물을 예비하는 최선의 제안과 이 제안을 수용할 만한 최선의 정책을 내는 것을 상상해야 제도나 기성 정치가 그나마 올바른 방향으로 움직이지 않을까 싶습니다.

부산시 하천살리기 시민본부 활동가

　부산광역시의 먹는 물 정책이 남강댐 36만 톤 해수 담수와 강변 여과수를 두고 부산시 먹는 물 정책이 진행되고 있습니다. 부산시 정책이 과연 유효한가 점검해볼 필요가 있습니다. 낙동강 물을 먹는 입장에서 낙동강의 실태를 제대로 보자는 것이죠. 실제로 모든 것을 고려해도 낙동강 물을 50%정도 사용할 수밖에 없는 상황입니다. 뚜렷한 대책이 없는 상황에서 실질적으로 진행되는 논의는 결국 실질적 수질 관리로 이어지지 않습니다. 세금으로 수질 개선이 안 되고 있는 것은 더 큰 문제인데요. 낙동강 상류의 다양한 오염으로 낙동강 오염이 심해지고 있습니다. 따라서 낙동강 정화가 물 부족 해결의 가장 중요한 요소라고 봅니다.

먹는물 네트워크 활동가

이제 부산의 시민단체들이 문제점만 지적할 것이 아니라 봅니다. 우리가 97% 낙동강 원수를 먹을 수밖에 없는 상황에서, 그리고 해수담수의 문제점을 지적할 것만이 아니라, 현재 낙동강 수질측정 검사지표의 문제를 개선하고 있는 상황에서 오늘처럼 두루뭉술한 비판이 이어지는 토론회보다는 구체적인 비판과 대안이 제시되는 토론회가 개최되기를 바랍니다.

금속노조 활동가

공업용수로 해수담수를 공급하는 데 대해 저는 매우 비판적입니다. 지난 주 부산시 관계자에게 왜 공업용수로 해수담수를 일방적으로 공급하기로 결정했는지에 대해 설명을 요구하고 응답을 받았습니다. 해수담수 수돗물 공급은 부산시가 하는 것으로 확인했습니다. 언론에는 정부기관과 협의한다고 했으나, 설명회에서는 부산시가 한다고 확언하였음을 확인했다는 것이지요. 안전의 문제에 대해서는 부산시도 문제가 있다고 인지한 듯 합니다. 그러나 안정을 보장못하지만, 불안하다는 것도 증명하지 못하지 않느냐는 게 부산시의 대답이었습니다. 산업단지 안에 다세대주택이 있는데, 그렇다면 여기에도 해수담수를 문의 없이 공급할 것인가요? 기장 지역에는 선택적 공급이라 하면서 일일이 문의하면서 공급을 결정하겠다고 하고서, 공단 안에 사는 주민에게는 왜 묻지 않고 일방적으로 해수담수를 공급하는 것일까요? 그리고 주민에게는 해수담수 음용의 선택권을 주면서 공장의 노동자에게는 왜 물 선택권을 주지 않는 것인가요? 이 모든 일이 동의 없이 진행되는 근거는 무엇일까요? 정작 이 질문에 부산시는 대답하지 못했습니다. 노동자는 방사능에 강하다고 생각하는 것인가요? 노동자는 차별받아도 되나요? 원전 주변의 식품회사의 문제를 거론하니, 그것은 부산시에서 따로 이야기 하자고 했습니다. 그외 다른 업체에는 해수 담수를 일괄 공급한다고 합니다. 도무지 부산시의 기준을 납득할 수 없었습니다. 이는 이미 시가 물의 안전성을 스스로 의심하고 있다는 반증 아닌가요? 이는 합리적 의심입니다. 숙의민주주의만 거치면 소수의 견해를 무시해도 되는 것인가요?

철마면사무소 앞 구지뽕 삼계탕 운영 시민

수도꼭지에 필터를 다는 게 좋겠습니다. 그리고 산천에 흐르는 깨끗한 원수를 수출하면 어떨까요? 부가가치가 높은 생수를 판매합시다.

답변 : 일단 산천의 흐르는 물을 깨끗하게 유지하는 데에는 전적으로 동의합니다. 그리고 깨끗한 물로 경제적 이익을 동시에 노리는 것도 좋다고 생각됩니다. 그러나 조심스러운 것은 생수를 일단 판매할 만큼의 수량이 확보될 수 있는지, 그래서 시장성이 있는지 지켜보아야 할 것입니다. 더 소심스러운 것은 판매할 만큼의 충분한 수량이 확보된다는 보고서가 나오더라도, 물은 인간만이 쓰는 것이 아니라는 점이 중요합니다. 물은 다양한 생물권이 생태적으로 건강한 공생을 하기 위해 중요한 자원입니다. 그러니 반드시 경제적 수익만이 아니라, 생태적 지속 가능성과 건강성 문제도 생각해서 고려해봐야 할

것입니다. 심지어 수돗물을 병입해서 수출할 때 드는 탄소배출의 문제도 고려해봐야 하지 않을까요? 오히려 지구적으로 건강한 지역의 물에 접근할 수 있는 정책과 운동을 활성화하는 것은 어떨는지요?

낙동강 하구 기수생태계 복원 협의회 활동가

낙동강물과 회동수원지 물을 부산사람들이 먹습니다. 나는 우리가 스스로 솔찍해져야 한다고 봅니다. 회동수원지 물이 낙동강 물보다 더 더럽다고 말하는 사람들이 있습니다. 그런데 이들의 목적은 상수원 보호구역 해지입니다. 결국 이들은 회동수원지 일대를 개발하려는 의도를 숨기고 있는 것이지요.

이어서 낙동강 상류지역, 예컨대 위천공단에 이어 또 다른 공간이 들어서려고 합니다. 대구에 260만평 국가 산단이 들어서는 중인

것입니다. 여기서 유해화학물질이 무단 방류될 때 낙동강은 어떻게 될까요? 이 무단 방류를 막을 방제시스템이 있어야 합니다. 끝으로 부산에서 공단이 빠져나가는데 정작 그 공단이 낙동강 일대로 다 산개해 이동해 있습니다. 상수원 보호구역 주변을 봅시다. 예를 들어 화포천 일대의 공단 같은 곳의 오염도 유의해 볼 필요가 있습니다.

낙동강 공동체 활동가

이 논의가 과거에도 그렇고 미래에도 그렇고, 우리의 삶과 가장 가까이 있습니다. 우리 몸의 70% 이상이 물이지 않습니까. 이런 상황에서 이 행사를 주최한 단체에 감사를 드립니다. 때를 놓치지 않고 시를 놓치지 않고, 할 수 있는 일을 해야 하는데, 아주 시의적절하고 열린 토론에 왜 지금 참여하게 되었는가 하는 생각도 듭니다. 부산의 낙동강 물은 상류의 다양한 시, 도 그리고 공단과 농·축산업에서 쓰고 남은 물입니다. 부산의 광역화된 단체의 물 문제를 지금 고민하게 되어서 참으로 다행스럽고 의미 있다고 봅니다.

탈핵부산연대 활동가

안전한 물을 먹는 것은 국민이자, 생명체로서의 기본권리인데, 실제로는 좋은 물을 먹는 데 다양한 어려움이 있습니다. 수질 검사 기준의 개수를 보면, 그러니까 유해화학물질을 규정하고 이를 규제하는 기준을 보면 미국은 120여 가지이고, WHO는 163개 정도이고 일본은 80개 수준인데, 우리나라에서는 60여개 정도 수준입니다. 이런 상황에서 수돗물을 먹을 수 있는 것인가요? 상황이 이런데 정작 물

민영화가 소리소문 없이 진행되고 있는 것과 이 문제들이 서로 연관된다는 것을 알았습니다. 부산의 수돗물 문제가 강과 지천 그리고 원수를 살리는 방향으로 나아가야 한다고 봅니다. 그래서 유해화학물질을 확장하면서 물 민영화를 동시에 막는 방법을 강구해야 합니다.

답변 : 5년전 한국의 수질 검사 기준의 개수가 30에서 454개로 늘었습니다. 미국은 100여개에서 120개로 늘었고, 일본은 50개에서 80개로 늘었습니다. 이처럼 유해화학물질을 규정하는 수도 중요하지만, 더 중요한 것은 신규유해화학물질이 지속적으로 등장한다는 사실입니다. 그런데 정작 부산시는 물에 대해 상당히 모순적인 태도를 보입니다. 예컨대 낙동강이 오염된다면서 해수를 담수화해야 한다고 주장한다거나, 낙동강 물이 깨끗하니 수돗물을 먹자고 한다든지, 낙동강 물의 염도가 높으니 하굿둑을 건설하여 기수를 담수화해야 한다고 주장하는 등 부산시의 물에 대한 태도와 정책이 일관되지 않습니다.

여기서 중동에 해수담수와 연결된 스마트 원전의 수출을 언급하면서 해수담수화의 물살을 타려하는데, 정작 이것은 경제성도 없고, 오히려 세계적 추세는 해수담수 이용을 줄이는 추세입니다. 에너지도 많이 쓰고, 담수화 하는 데 드는 비용도 비쌉니다. 따라서 원수를 깨끗하게 하는 것이 중요합니다.

개인적으로 부산의 물을 확보하기 위해 남강댐의 물을 사용하는 것에는 반대합니다. 비합리적인 요인이 아주 많기 때문이다. 그럴 바에야 개인적으로는 강변여과수를 사용하는 방향이 옳다고 봅니다.

예컨대 남강 하류의 강변의 여과수로 부산의 수돗물을 취수하면 어떨까 제안해봅니다. 이를 뒷받침할 만한 믿을 만한 견해도 있습니다. 이것 하나만으로도 심층토론을 해볼 필요도 있습니다. 다행히 11월 10일에 관련 토론회가 있고, 12월 말에 열릴 예정인 토론회에서도 강변여과수를 주제로 심층토론이 있으면 좋겠습니다.

학장천 살리기 모임 활동가

기장에 해수담수가 들어가는 것에 많은 우려를 하고 있습니다. 시민의 권리가 일방적으로 침해당하는 것이 우려됩니다. 수돗물을 안전하게 먹고 싶습니다. 현재 저는 수돗물을 정수해서 이를 보리차로 끓이고 트리할로메탄이 염려되어 뚜껑을 열어 이를 날리고 물을 먹는 상황입니다. 결국 문제는 깨끗한 부산의 물을 먹는 것아닐까요. 이 의제는 이미 오래된 이야기인데, 정작 공론화되는 데 오랜 시간이 걸린 것 같습니다. 정작 논의된 이야기를 공론화하여 밀고 나가는 힘이 없는 것입니다. 나락한알이 이 문제를 잘 공론화 해주길 바라며, 부산의 시민단체가 이를 로드맵으로 만들어 단계 단계 문제를 진행하면 좋겠습니다. 최근 부산시가 권역별로 수돗물을 채취해 갔는데, 이 실험을 통해 부산의 수돗물의 정체를 바로 볼 수 있기를 바랍니다. 이런 문제조차 제대로 공개되지 않는다면, 정말 문제라 봅니다. 따라서 1) 안전한 수돗물을 마시기 위한 일원화된 논의구조가 있어야 합니다. 2) 낙동강물이 안전해야 하므로 모든 시민단체가 낙동강지키기에 나서야 합니다.

이것은 숙의민주주의가 아니다
– 신고리 원전 5, 6호기 재건설 문제에 관하여[1]

●

김 동 규

2017년 10월 20일 중단되었던 신고리 원전 5, 6호기 건설을 재개한다는 정부의 발표가 났다. 건설 중단을 불만스러워 하던 원전 재건설 찬성자들을 넘어, 대통령을 위시한 정부 측 인사와 친정부적 성향의 인사들도 이번에 거친 공론의 과정이 숙의민주주의의 성과라며 도출된 결론을 수용할 것을 요구하고, 그 절차적 과정을 통해 이룬 민주주의적 성과를 축하하고 있다. 여기에 언론이 가세하여 숙의민주주의를 찬양하는 분위기를 조성하고 있다.

덕분에 이번 결정이 절차적 합리성을 거쳐 도달된 공정한 합의이므로, 이미 도출된 합의에 재비판과 재반론 그리고 재토론을 할 수 없는 기이한 분위기가 만들어지고 있다. 이런 분위기는 원전 재건설 결정에 경악하고 당혹스러워 하는 소수(?)를 압도하고 침묵을 강제한다. 그리고 마치 이에 부응하듯 문재인 대통령은 국민의 뜻에 따라 신고리 원전 5, 6호기 재건설을 '조속히' 추진하겠다고 발표했다.

그런데, 여기서 찬양 일색인 '숙의민주주의'란 도대체 무엇일까?

숙의 민주주의의 정신은 다른 유명한 학술서에도 잘 드러나 있지만, 하버마스의 『사실성과 타당성』(특히 7장)에 그 정신이 상세히 설명되어 있다. 하버마스는 자유주의적 민주주의와 공화주의적 민주주의의 정신을 모두 점검해가면서 토의정치로서 숙의민주주의의 의미를 설명하고 있다. 이때 토의와 숙의의 중심을 이루는 것이 의사소통과 논변인데, 이 핵심에 화용론적 조건이 있다. 하버마스가 토론과 숙의를 위해 검토하는 화용론적 조건은 말과 의견의 일치만이 아니라 행위의 일치를 요구하는 형식적인 원리이다. 그러니 하버마스의 숙의민주주의가 이야기하는 숙의와 토론에는 이미 그 속에 이론과 실천의 접목이 배태되어 있는 것이다.

Deliberative Democracy로 표현하거나 Discursive Democracy로 표현하는 심의 민주주의 또는 숙의민주주의는 다수결이 흔히 상실하는 결정의 규범적 정당성의 문제를 보완하면서도(법적 타당성), 현실의 실제적 문제(법적 사실성)를 동시에 고려할 수 있도록 보장하는 정치형식이다. 그리고 이러한 민주주의의 형식은 반드시 담론(또는 논변 discourse)을 통한 숙의과정을 거쳐서 법의 산출이어지도록 되어 있다. 이렇게 산출된 법은 현안이 가지고 있는 사실성과 결정의 타당성을 동시에 매개할 수 있다. 그러니까 숙의민주주의는 당면한 사태의 현실성과, 결정의 정당성을 법이라는 매체를 통해 모두 만족시키려는 야심찬 민주주의의 형식이다.

사실성이 보장된 결정이 규범적 정당성을 만족시키지 못해도 특정한 정치적 결정은 비판과 저항에 직면하게 되고, 규범적 정당성을 만족시키지만 그 결정이 실효성이 없다면 그러한 정치적 결정 역시 비판과 저항에 직면하게 되는 것은 당연한 이치다. 숙의민주주의는 바로 이 둘 사이의 모순적 관계를 토론과 논변이라는 담론(의사소통)의 형식, 그리고 담론의 형식을 통해 생산된 법으로 만족시키려는 것이다. 하버마스의『사실성과 타당성』이라는 책의 부제가 담론적 법이론과 민주주의적 법치국가 이론인 이유도 여기에 있다.

하버마스는 의사소통의 형식적 조건으로 자유, 평등, 호혜성의 원칙을 거론한다. 모든 사람들이 자유롭게 발언할 수 있어야하고, 평등하게 발언하고 이의제기할 기회가 있어야 하며, 서로 논거를 교환할 수 있어야 한다는 것이다. 그리고 이를 통해 얻어진 결정은 근거의 합리성(진리, 정의, 진실)과 늘 비판에 개방되어 있어야 한다는 규칙이 덧붙여진다. 비판에 개방된 합의라는 개념은 비판과 반론이 제기되면 언제든 기존의 합의를 폐기하고 결정된 합의를 언제든 재논의할 수 있다는 것을 의미하는데, 합의의 절차와 비판에 직면한 합의를 재논의하는 개방된 절차 모두를 우리는 '절차의 합리성'이라고 말할 수 있다. 이러한 합리성의 원칙은 다수결의 폭력을 막을 수 있는 장점을 갖고 있기도 하다. 왜냐하면 소수의 합리적 이의제기를 무시한 다수의 결정은 숙의민주주의 하에서는 충분히 비합리적 폭력으로 간주될 수 있기 때문이다.

그런데 이러한 숙의가 이루어지는 실질적 장소는 어디일까? 이것이 바로 하버마스가 초기부터 탐색해왔던 공론장public sphere이다. 하버마스는『사실성과 타당성』에서 이 공론장이 두 가지 형태가 있다고 한다. 한편에 다양하고 복잡한 이슈를 제약 없이 자유롭게 논의할 수 있는 일반적 공론장(예를 들어 시민사회)이 있다. 다른 한편에 여기서 논의된 것들이 걸러져서 중요한 사안을 특수하게 논의하는 절차적으로 규제된 공론장(예를 들어 의회)이 있다. 일반적 공론장에서는 새로운 이슈들을 발견하는 일들이 중요하고, 여기서는 다양한 논의와 논쟁을 하고, 논의되는 내용을 걸러서 절차적으로 규제된 공론장으로 이양하는 여론 형성적 공중이 활동한다. 그런데 이들은 제도적이고 체계적인 의사결정까지는 하지 않는다는 의미에서 약한 공중들이라 할 수 있다. 이와 달리 절차적으로 규제된 공론장에서는 논의되는 이슈들과 결정된 합의들이 '정당성'을 검증받아야 하는 곳이다. 그래서 여기에는 의사결정에 실질적으로 참여하는 강한 공중이 활동한다. 숙의 민주주의는 이 두 공론장의 긴장 속에서 진행되는 것이라 할 수 있다.

그렇다면 이번 원전 재개 결정과 숙의민주주의 정신을 한 번 비교해보자. 사실 언론이나 정부가 숙의민주주의를 찬양하면서 끌어들이는 숙의민주주의의 주요 요소는 '공론장'에서 '절차적 합리성'을 거쳐 '합의?'(사실 합의가 아닌, '다수결'에 불과하다.)에 도달했다는 사실이다. 그런데 중요한 것은 원전문제를 결정하는 데 참여한 사람들에 문제가 있다. 사실 중국 황해 인근에 엄청난 숫자와 규모의 원전을 짓기로 예정되어 있다고 한다. 그렇다면 이 원전의 건설은 비단 중국 내부의 문제, 내치와 주권의 문제로 한정될까? 결코 그렇지 않다. 그렇다면 고리 원전의 문제를 가지고 논의할 수 있는 예비된 공중은 굉

장히 많다. 이 문제를 생각한다면, 이번 공론과정의 참여자와 규모는 만족할 만한 수준은 되지 못한다.

이어서 이번에 참여한 공중은 특정한 사태를 결정하는 결정권을 행사한 공중이라는 점에서 '강한 공중'에 해당한다. 그런데 중요한 것은 이러한 강한 공중의 결정과정 이전에, 다양한 인정투쟁과 논쟁을 수행하는 일반공론장의 약한 공중이 먼저 등장했어야 했다. 이들이 일반 공론장에서 충분한 시간을 들여 여론을 형성하고 그 여론이 강한 공중에게 전달되어야 했었는데, 이번 결정에는 그 약한 공중의 활동과 등장이 미진했다. 이 점에서 이번 결정은 숙의 민주주의를 만족시키기에는 미흡하다.[2]

문제는 여기서 그치지 않는다. 언론의 행태가 보여주듯, 숙의민주주의의 완성을 찬양하려면 숙의민주주의 내부의 세 가지 중대 요소 모두를 만족시켜야 하는데, 이번 원전 5, 6호기 재건설의 결정은 첫 번째 중요한 요소인 절차적 합리성의 요건을 일부 충족했을 뿐, 나머지 중요한 숙의민주주의의 두 요소를 아예 간과하거나 깡그리 무시하고 있다.

숙의민주주의에 가장 중요한 첫 번째 요소는 절차적 합리성의 원칙이다. 언론은 이 절차적 합리성만을 조명하고, 숙의민주주의가 이룬 거대한 성과를 찬양하는 데 모든 에너지를 쏟는다. 그런데 그 절차적 합리성 중에 약한 공중의 등장은 미진했다는 점, 충분히 많고 다양한 사람들이 참여하지 못했다는 점, 아직 남아 있는 다양한 반대 근거와 비판이 공론장으로 퍼올려지지 않았다는 점(충분한 정보와 좋은 근거들에 비추어 명료한 이해를 형성할 수 있는 상황이 열려야

할 것[3])은 이번 숙의 민주주의적 과정이 절차적 합리성 역시 충분히 만족시키지 못했다는 것을 의미한다.

그 첫 요소조차 제대로 충족되지 못한 숙의민주주의가 일부 언론과 일부 대중의 찬사를 받으며 한국 민주주의의 토양에 무혈입성하려고 한다. 그런데 정작 이 절차적 합리성은 단순히 1회적인 결정으로 수용되고 충족될 수 있을까? 숙의민주주의는 단연 그렇지 않다고 답한다. 하버마스의 숙의민주주의에 어느 정도 영향을 주고 있는 듀이와 코헨의 견해만 살펴봐도 문제는 선명히 드러난다.

> "다수결의 원칙을 그 자체로서 보면 비판가들이 비난하는 대로 어리석은 원칙이다. 그러나 그것은 단순히 다수결원칙으로 끝나는 것이다. 아니다. …… 더 중요한 것은 다수자를 다수자로 만들어주는 수단이다. 결정에 선행하는 논쟁이라든가 소수자의 의견을 충족하기 위한 의견 수정 등……. 다시 말해서 본질적인 것은 논쟁과 토론과 설득의 방법과 조건들을 개선하는 일이다." 의견형성과 의지형성은 오직 그 결과의 이성적 질에 대한 기대 덕분에 사회적 통합의 기능을 충족하는데, 토의정치는 정당화의 힘을 이 의견형성과 의지형성의 담론적 구조로부터 얻는다.[4]

토의는 일반적으로 합리적 동기에서 나온 동의를 목표로 하며, 원칙적으로 무제한 계속될 수 있으며 언제라도 계속될 수 있다. 그러나 정치적 토의는 결정을 내려야 할 필요성을 고려하여 다수결에 의해 종결되어야 한다. 또 다수결의 원칙은 다수자의 오류가능성 있는 의견이 새로운 다수의견이 등장할 때까지는, 즉 소수자가 그들의 견해가 옳다는 것을 다수자에게 설득할 때까지는, 공동의 실천의 이성적 토대로 간주될 수 있다는 추정을 정당화하는데, 그 이유는 그것이 토의와 내적 연관을 갖고 있기 때문이다.[5]

이처럼 다수결 역시 결정의 정당성을 위해 1회적으로 끝나서는 안 되는 것이다. 그리고 소수의 의견을 보호해야 한다는 이유 때문에 다수결의 결정은 늘 폭력이 될 수 있다는 사실을 경계해야 한다. 바로 이러한 이유 때문에 등장하는 숙의민주주의 요소가 더 남아 있다.

숙의민주주에서 중요한 나머지 한 가지는 개방성의 원칙이다. 한 번 도출된 합의라도 그 합의는 늘 '비판에 개방되어 있어야 한다.' 그러니까 숙의민주주의는 한 번 공정한 절차에 따라 합의했으면, 이후에는 군말 없이 그 결정에 따라야 한다는 것이 아니다. 숙의 민주주의는 새롭고 합리적인 비판이 등장하면, 기존의 합의를 폐기하고 다시 숙의의 절차로 들어갈 수 있음을 보장하는 민주주의다. 그러니 1회적 결정으로 더 이상 논의할 수 없는 결정이란 숙의민주주의에는 없다. 따라서 신고리 5, 6호기 '조속한' 재개와 숙의 민주주의의 '찬양 일색의 분위기'는 논리적으로는 '우물에 독을 뿌리는 오류'[6]를 범하고 있고, 정치적으로는 민주주의를 가장한 모종의 독재 '효과'를 낼 수 있다.

더 중요한 것은 숙의민주주의의 결정은 다수결이 아니라, 가장 합리적인 의견에 무게를 둔다는 논거의 합리성 원칙이다. 숙의민주주의에 절차적 합리성만큼이나 중요한 것은 합의된 결론에 담긴 내용의 합리성이다. 그래서 숙의 민주주의는 소수의 의견을 저 '합리성의 원칙'에 입각하여 존중할 수 있는 장치가 된다. 동시에 숙의 민주주의는 다수의 의견이라도 비합리적이라면 그것을 따르지 않을 권리를 주는 정치, 즉 불복종이 제도화되어 있는 정치다. 앞서 언급한 바대로 숙의 민주주의는 이를 통해 '다수의 폭력'을 방지하려는 장치를 합리적 이의제기라는 형식으로 장착하고 있는 정치형식이다.

신고리 원전건설 재개는 숙의민주주의에 필수적인 두 원칙을 아예 무시하고 있다. 그럼으로써 몇 가지 문제가 생겨났다. 1) 절차적 합리성을 충분히 만족시키지 못함으로써 일정한 수준의 다수결의 폭력이 발생했다는 점이다. 이는 앞서 충분히 논의했다.

이어서 다른 문제가 생겼다. 2) 합의의 폐쇄성이다. 절차를 거쳐서 다수가 합의한 것이니, 더 논의할 필요 없이 즉각 신고리 원전 건설을 재개하겠다는 것은 이번에 도출된 합의가 '비판에 개방될 가능성'을 원천 봉쇄하는 것이다. 이것은 숙의 민주주의를 정면으로 배반한다. 여전히 합리적인 반론이 남아 있고, 소수의 합리적인 반론이 충분한 근거를 가진 합리적 반론이므로, 통계와 다수결로 결정난 합의는 여전히 비합리적 합의일 가능성이 있다.

3) 이번 숙의과정을 통해 도출된 합의가 결국은 비합리적 합의라는 문제를 노출시켰다. 왜냐하면 의미 있는 오차 범위 밖의 다수결이라 하더라도, 여전히 논의되지 않은 중요한 문제들이 있다는 견해를 일부 언론에서 그리고 일부 전문가들이 표출하고 있다. 예컨대 신재생에너지의 고용창출 효과가 훨씬 크다는 이야기나 매몰비용에 대한 언급이 상세히 이루어지지 않았다. 밀양의 상황, 최근 발생한 지진의 문제로 인한 피해발생과 비용문제, 새로 발견된(될) 단층지대의 문제

역시도 더 논의되어야 할 상황이다. 그렇다면, 신고리 5, 6호기 건설 재개는 '조속히 밀어붙일 것'이 아니라 다시 논의해서 새롭게 제기된 비판과 이의제기를 수용하여, 그 비판과 이의제기 역시 합리적인지 비합리적인지를 따져보아야 한다. 이는 합의의 '합리적 수락 가능성'을 만족시키는 핵심요인이다. 심지어 울리히 벡이 언급하듯, 안전의 합리성 문제도 고려되었어야 했다. 아주 작은 확률이라 하더라도, 불특정 소수가 치명적인 위험에 빠질 수 있는 기술이나 상황에 직면한다면, 사람들은 보통 그 '위험(risk)'을 피하는 것이 합리적이라는 안전합리성의 원칙 역시 논의되었어야 했다. 이번 결정은 그 합리성 역시 정면으로 위반하고 있다. 결국 이번 숙의민주주의는 이러한 절차를 모두 무시함으로써 스스로 비합리성의 구렁텅이로 빠지게 되었다.

그런데, 한 가지 더 추가적으로 고려할 것이 있다. 그것은 바로 4) 숙의 민주주의는 '속도전'이 아니라는 점이다. 프랑스의 폴 비릴리오는 현대를 '질주'의 시대 또는 '폭주'의 시대로 규정하면서, '정지는 곧 죽음이다.'는 주장을 펼친다. 그는 현대를 일종의 속도 파국으로 규정한 셈인데, 이런 파국에서 가장 강력한 권력을 휘두르는 사람은 곧 '속도를 결정하는 자'라고 생각한다. 그는 이런 현대의 파국적 양상에 대하여 정지와 중단을 새로운 '정치적 대안'으로 제시한다. 물론 숙의 민주주의를 비릴리오가 찬성할리 만무하겠지만[7], 숙의 민주주의 역시 속전속결의 정치가 아니라, 속도전을 늦추는 느림의 정치라는 점을 고려할 때, 숙의라는 '느림의 정치 미학'은 일종의 정치적 대안이 될 수 있겠다. 신고리 원전이 왜 숙의 민주주의라는 형식을 빌려 '짧은 시간'의 논의로 '즉각' 건설이 재개되어야 하며, 왜 그렇게 '찬양 일변도의 분위기'를 연출하는지에 대해서 나는 여전히 의문스럽다. 이 그늘에 예전의 개발독재의 발전 논리 또는 발전의 질주학이 도사리고 있는 건 아닌지 심히 의심스럽다. 심지어 '안전'의 문제를 '속도'에 의탁해서는 안 된다.(이 역시 비합리적이다.)

짧은 기간의 형식적 공론화과정, 결정된 공론을 다시 비판할 수 없음, 비합리적 다수결, 조속한 건설 재개라는 속도전을 생각하면, 결정된 공론에 대한 겸허한 수용의 강요(?)와 숙의민주주의에 대한 '찬양일변도의 분위기'는 심상치 않은 기운을 발산하는 듯하다. 우선 이런 숙의민주주의는 가짜 숙의민주주의라 할 수 있으며, 그럼에도 불구하고 신고리 원전 재건설을 두고 형성된 이런 분위기는 숙의민주주의 가면을 쓴 파시즘 또는 독재의 '효과'를 내고 있는 건 아닐까? 강요와 찬양은 이미 파시즘과 독재의 프로파간다였다. 그리고 한 가지 더 강조하자. 심지어 숙의민주주의만이 최선의 정치도 아니라는 점이다.

---

1. 이 글은 인터넷 신문 〈레디앙〉에 이것은 숙의 민주주의가 아니다.라는 제목으로 실린 기사의 내용을 보강하여 작성된 글이다. 원문은 다음을 참고하라. http://www.redian.org/archive/116056
2. 위르겐 하버마스, 『사실성과 타당성』, 나남, 2000, 374-375쪽 참고.
3. 이는 로버트 달이 생각한 숙의 민주주의의 요건 중 하나이다. 위의 책, 385쪽 참고.
4. 위의 책, 370쪽
5. 위의 책, 372쪽
6. 모든 반론을 원천적으로 금지할 때 생기는 오류이다. 다른 말로 '원천 봉쇄의 오류'라고도 한다.
7. 비릴리오에게 숙의민주주의는 그저 질주에 어느 정도 타협한 개량주의적 정치형태쯤으로 보일 것이다.

기장해수담수
주민운동

시민의 탄생
우리는 이길 수밖에 없다

해수담수화 시설은 원래 공업용이었지만 식수로 공급하겠다고 일방적으로 발표했다. 공장은 12월에 완공되었다. 주민의 뜻과 반대되는 사업이라, 주민들은 쉽게 이길 것이라 생각했다.

우리가 주도하는 주민투표
주민동의 없는 공급은 반대한다

주민들은 주민투표를 원했다. 하지만 부산시는 증명서 교부를 거부하고, 기장군은 주민투표설명회 장소대여도 거부했다. 주민들은 굴하지 않고 선거인 명부 작성에 들어갔다. 그로부터 6주간, 크고 작은 충돌을 겪으면서, 온 지역을 누볐다. 기장은 술렁였다. 부산 각지에서는 주민투표 지지선언이 이어졌다.

2015년 12월 4일

2016년 2월 22일

2014년 11월

2016년 1월 13일

제국의 역습
수돗물 공급 기습적으로 통보하다

부산시는 금요일 늦은 오후에, 월요일부터 수돗물을 공급하겠다고 기습적으로 통보했다. 한동안 잠잠했던 주민들은 구름처럼 모여들었고, 주민운동은 불이 붙었다. 정부에 항의하고, 초등학교 등교를 거부하고, 농성장을 차렸으며, 집집마다 현수막이 붙었다. 요구사항은 하나, 주민동의를 얻으라는 것이었다.

관리위원회 출범
우리는 포기하지 않는다

해수담수공급 찬반 주민투표 관리위원회가 출범했다. 후쿠시마 5주기 행사는 주민투표 성사를 위한 결의대회로 열렸다. 긴장한 부산시장은 '사실을 왜곡하고 여론을 호도하지 말라며 당당히 맞서겠다고 했다. 투표소를 공고하자 투표소를 철거하겠다고 통보하는가하면, 외압을 통해 투표소 장소대여를 취소시키는 사태를 일으켰다. 또 투표소 변경을 알리는 현수막이 도난당했다. 주민들은 투표소를 밤을 새워 지켰다.

공급반대
연대기

역사적인 주민투표
주민들의 압도적인 승리

주민투표가 진행된 이틀은 영하의 온도와 칼바람으로 정말 추운 날씨였다. 전국에서 찾아 온 수 백 명의 시민들과 함께 각지에 설치된 투표소를 지켰다. 외압을 우려해 개표소는 개표직전에 공개되었다. 16,014명(26.7%)이 투표했고, 그 중 공급반대는 14,308명(89.3%)이었다. 압도적인 승리에 환호했다.

연이은 강진에 불안
문제의 시작은 핵발전소

연이은 강진은 핵발전소의 공포를 더욱 키웠다. 신고리 5,6호기 승인으로 세계최대의 인구밀집, 원전밀집 지역이 되었다. 우리의 눈은 핵발전소로 향했다. 한편, 주민들은 소송을 통해 또 한 번 이겼다. 법원은 주민투표를 거부했던 부산시의 행위가 부당하다 판결했다.

2015년
4월

2016년
12월

2016년
3월
19~20일

우리는 멈추지 않을 것이다.
그리고 함께 갈 것이다.

주민투표는 끝났지만, 수질검증연합회도 계속 가동이 되고 있었고, 부산시는 공급 철회를 분명히 선언하기 전까지 마음을 놓을 수는 없었다. 주민들은 촛불집회를 열었고, 릴레이 피켓시위를 열었다. 그리고 만덕 5지구를 방문하는 등 권력 앞에 맞선 다른 동료 시민들에게 연대의 손을 내밀었다.

2016년
9월

주민의 승리
싸움은 끝나지 않았다

부산시장은 기장해수담수 수돗물을 선택적으로 공급하겠다며 사실상 한발 물러섰지만, 모호한 말로 불씨를 남겨두었다. 주민들은 기장군청과 부산시청에서 릴레이 1인 시위를 벌이고 있었고, 최종적인 항복을 받기 위해 2016년 12월 30일에는 부산시청을 인간띠로 둘러싸는 '기장해수담수반대 수월래'를 진행했다.

 민주시민 교육원

물 이야기

●

구 영 기

1. 끊임없이 계속되는 물의 순환

비는 땅을 적시고, 식히고, 대지를 산뜻하게 해 준다.[1] 흙이 축축해지면 식물은 영양분을 빨아들이기 위해 활발한 운동을 한다. 물은 흙 속의 갖은 영양분들을 식물이 필요로 하는 곳 구석구석까지 실어 나른다. 이렇게 내린 빗방울 가운데 얼마만큼은 땅속으로 스며드는데, 나무나 풀의 뿌리를 통해 빨려 들어가거나 더 깊은 곳으로 내려가 지하수가 된다. 그러나 대부분의 빗방울들은 모여 작은 개울을 이루고, 다시 더 큰 강을 따라 바다로 들어간다.

비구름이 걷히고 해가 들면 땅을 말린다. 강과 호수, 그리고 바다와 젖은 땅에서 아주 작은 물방울들이 하늘로 올라가고, 나무나 풀들도 새로운 영양분을 머금은 물을 빨아들이기 위해 무수히 많은 잎의 숨구멍을 통해 물방울들을 내뿜는다. 눈에 보이지도 않을 만큼 작은 그 물방울들인 수증기가 모여서 구름을 이룬다.

바람에 실려 이 구름들이 여기저기로 움직이고, 구름을 이룬 물 방울들이 서로 엉켜 점점 커지게 되면 먹장구름이 된다. 물방울들이 두꺼워져서 햇빛이 뚫고 지날 수 없기 때문에 검어 보인다. 더 이상 떠 있을 수 없을 만큼 무거워지면 다시 비가 되어 물방울들이 떨어진다. 비가 떨어지는 것은 지구의 중력 때문이고, 물방울들이 다시 하늘로 올라가는 원동력은 태양 에너지의 힘이다.[2] 이 일은 쉼 없이 이어진다. 이런 어마어마한 움직임이 계속해서 되풀이되지 않는다고 한다면 모든 생명체들은 지구상에서 더 이상 살아갈 수 없을 것이다. 자연의 법칙에서 비껴 나서 살 수 있는 것은 아무 것도 없다.

2. 흔하지만 별난 물질

물은 흔하지만 아주 유별난 물질이다. 너무 흔한 탓에 우리가 물을 소홀히 다루기도 하지만, 물이 가진 특별한 성질 덕분에 인간을 비롯한 모든 생명체가 살아 갈 수 있다. 물은 대부분의 물질을 녹일 수 있다. 물만큼 많은 물질들을 녹일 수 있는 액체는 없다. 또한 물은 자신이 녹이는 물질들에 의해 그 성질이 화학적으로 변하지 않기 때문에 반복해서 쓰일 수 있다.

물 분자는 두 개의 수소 원자와 한 개의 산소 원자로 이루어져 있다. 물은 섭씨 0도에서 얼고, 100도가 되면 끓는다. 그러니까, 섭씨 0도 아래에선 고체(얼음)가 되고, 100도까지는 액체(물)이며, 그보다 더한 온도에서는 기체(수증기)로 변한다.

　얼음은 참 다행하게도 물에 뜬다.[3] 이것은 자연계의 다른 물질들과 비교해 보면 자연 질서에서 어긋나는 일이다. 다른 물질들은 차가워지면 부피가 줄어들고 무거워진다. 물도 섭씨 100도에서 4도까지는 식히면 부피가 줄어든다. 그러나 온도가 섭씨 4도에서 어는점 0도까지 내려가는 동안에는 거꾸로 부피가 늘어나 가벼워진다. 그 때문에 추운 겨울에 수도관이 터지고, 물을 담아 둔 항아리가 깨어지기도 하지만 이러한 물의 특별한 성질은 모든 생물에게는 참 다행한 일이 된다.[4]

　만일, 얼음이 물보다 무겁다고 한다면 추운 겨울에 만들어진 얼음이 강이나 호수의 바닥에 가라앉게 되고, 한 여름이 되어도 바닥의 얼음은 대부분 녹지 않고 남아 있을 것이다. 해가 가면 갈수록 얼음은 점점 더 많아져 우리가 쓸 수 있는 물의 양은 점점 더 줄어들게 된다. 그렇게 되면 물 속 바닥에 사는 생물들도 살 수 없을 뿐만 아니라, 지금 우리가 겪고 있는 기후도 엄청나게 달라진다. 물의 증발이 줄어들 것이고, 비나 눈도 내리지 않으며, 추운 날씨가 계속되어 점점 더 많아지는 얼음 속에서 모든 생명체들이 신음하게 될 것이다.

　또한 물은 대단히 큰 표면장력과 부착장력을 가지고 있다. 표면장력과 부착장력이 합쳐져서 아주 가는 대롱 속의 물을 상당한 높이까지 끌어올릴 수 있는데 이것을 '모세관 현상'이라고 부른다. 이런 물의 능력 때문에 흙 속에서의 물의 순환과 식물 줄기를 통한 용액의 순환 그리고, 동물의 피 순환이 이루어질 수 있다.

　한 여름 낮에 마당에 물을 뿌리면 시원해진다. 땅의 뜨거운 열기를 물이 뺏어 갔기 때문이다. 무더운 여름날에도 나무 그늘 밑은 아주 시원하다. 나뭇잎이 내어 뿜는 물방울들이 열기를 뺏어 달아났기 때문이다.

물은 열을 담아두는 아주 좋은 그릇이다. 물은 많은 양의 열을 받아들여도 그렇게 많이 뜨거워지지 않는다. 빈 냄비는 불 위에서 금방 벌겋게 달아버리지만 물을 채운 냄비는 고작 몇 도 밖에 더 올라가지 않는다. 물은 매우 큰 비열을 가지고 있다. 물은 다른 어떤 물체보다도 온도가 작게 상승하면서도 보다 많은 열을 흡수할 수 있다. 물은 모래땅보다 다섯 배나 더 많은 열을 담을 수 있다. 이렇게 많은 열을 담아둘 수 있는 물의 능력 때문에 뜨거운 태양열이 내리쬐어도 우리가 견딜 수 있다. 밤이 되어 기온이 내려가면 물은 낮 동안 보관해두었던 열기를 서서히 내어놓는다. 그런 물의 능력 덕분에 밤과 낮의 기온 차이가 줄어든다.

똑같은 태양열이 내리쬔다고 해도 건조한 사막은 호수보다 기온이 다섯 배나 더 올라간다. 밤이 되면 그만큼 더 추워진다. 물이 없거나 부족하게 되면 혹심한 기후변화에 모든 생명체가 시달릴 것이다. 이와 같은 물의 유별난 특성이 지구상의 기후와 일기를 지배하고 있고, 인류의 생활환경과 양식을 다르게 만든다.[5]

3. 요술쟁이, 물

1) 변신의 귀재, 물

물은 섭씨 0도에서 얼고, 100도가 되면 끓어 기체로 변한다. 자연 상태의 물질이 이렇게 세 가지 모습으로 변할 수 있는 것은 물 뿐이다. 하늘 높이 떠 있는 뭉게구름, 아름다운 노을, 영롱한 무지개, 세상을 하얗게 치장하는 눈과 서리, 장대 같은 비, 거대한 빙하, 시원한 폭포, 넘실대는 바다, 이 모든 것들은 바로 물이 만든 작품이다.

지구 겉면적의 4분의 3이 바다다. 또한 지구에 있는 많은 물 가운데 바닷물이 전체의 97퍼센트나 된다. 나머지 3퍼센트가 우리가 이용할 수 있는 민물인 셈이다. 그러나 이 민물 가운데서도 69퍼센트는 남극이나 북극에 얼음의 형태로 존재하고, 지하수가 그 나머지 30퍼센트를 차지하기 때문에 결국 우리가 쓸 수 있는 지표수는 지구상 전체 물의 1퍼센트에도 못 미친다.

우리나라의 연평균 강수량(1,274㎜)은 세계 연평균 강수량(973㎜)의 1.3배로 조금 풍부한 편이다. 그러나 비좁은 땅에 많은 사람들이 몰려 사는 까닭에 한사람 몫으로 나누면 전 세계 평균량(34,000㎥)의 11분의 1에도 못 미치는 3천 톤쯤 된다.

우리 국토(남한)에 1년간 떨어지는 총 강수량은 1,267억㎥이며, 이 가운데 45퍼센트인 570억㎥가 증발하거나 땅 속으로 스며들고, 나머지 55퍼센트인 697억㎥가 하천으로 흐른다. 그러나 이나마 467억㎥가 홍수로 한꺼번에 흘러가 버리고, 평상시 강에 흐르는 물은 230억㎥에 불과하다. 이 물을 우리가 이용하고 있다.

지구상에 있는 물의 양은 약 13억 5천7백만㎦로 추정한다.

2) 약이 되는 물

수많은 인체 세포는 영양을 섭취하고 노폐물을 배출하는 신진대사를 한다. 이 때 물이 영양분과 노폐물을 실어 나르는 역할을 한다. 따라서 수분이 부족하면 세포가 원활한 신진대사를 할 수 없게 된다.

물은 생명을 유지하기 위해 꼭 필요한 요소이다. 우리 몸에서 숨쉴 때 약 0.6ℓ, 땀으로 0.5ℓ 그리고 대소변으로 1.4ℓ 정도가 매일 빠져나가므로 그 만큼의 물을 먹어야 한다. 사람마다 차이는 있지만 아침에 일어나서 1컵을 마시고 밥 먹기 30분 전에 1컵, 그리고 30분에 1/4컵 정도로 조금씩 마시는 것이 좋다. 이렇게 하루에 2리터 정도의 물을 마시면 건강을 유지할 수 있다.

생수란 사전적인 의미로 보자면 '지하수가 지상 표층까지 솟아오르는 물'이다. 80년대 들어 생수라는 용어가 상품명으로 사용되면서 '지하 200m 이하에서 뽑아 올린 오염되지 않은 천연 지하수로서 산소와 무기질이 풍부하게 함유된 살아 있는 물'로 소개되기도 한다. 그러나 생수 속에 포함되어 있는 미네랄은 극미량에 불과하다. 현행법상의 생수의 공식 명칭은 '광천 음료수'이다. 식품 위생법상 광천 음료수란 '지하 암반층 이하의 원수를 취수하여 정수 처리해 음용에 적합하도록 제조한 물'로 규정되어 있다.

지표수는 드러나 있음으로 해서 오염되기 쉽다. 이에 비해 지하수는 토양의 여과, 정화 작용 등으로 인해 탁도가 낮고 칼슘, 마그네슘, 철, 망간 등 광물질의 함량이 높다. 그러므로 자연 상태의 수원에서 취수한 것이라면 일단은 건강에 좋은 물이라고 볼 수 있다.

한편 약수란 말 그대로 약이 되는 물이다. 그러나 정확히는 미네랄이 많이 든 물이라고 보는 것이 옳다. 약수는 산소 및 탄산가스와 철분 성분이 많이 녹아있는 맑은 지하수가 압력을 받아 지표로 솟아 오른 것으로 특유의 시원 달콤한 맛을 지니고 있다. 두꺼운 지층을 뚫고 대자연의 힘으로 정화된 이 자연 생수는 단연 물 중의 물이라고 할 만하다. 약수의 수온은 15~17℃가 보통인데 곳에 따라서는 훨씬 찬 물도 있다. 탄산 성분이 많아 사이다처럼 톡 쏘는 맛이 나고, 철분 성분으로 인해 약수터 주위가 빨갛기도 하다.

끓인 물은 과연 나쁜 물인가. 물을 끓이면 물 속에 녹아있는 산소가 날아가서 죽은 물이 된다는 주장이 있다. 그러나 물 속에 들어있는 산소량은 아주 미량이고 또 식으면 다시 공기 중의 산소가 녹아 들어간다. 물을 끓이면 일반적으로 맛이 좋지 않다고들 하는데 그건 끓인 물맛이다. 결명자, 볶은 보리, 옥수수 등을 넣고 물을 끓이면 물 속의 해로운 중금속이 제거된다. 한 연구 결과에 따르면 조혈작용을 방해하는 납의 경우 결명자차에서 96%가 제거됐고 보리차에서 92%, 옥수수차에서 89%가 각각 제거된 것으로 나타났다.

목이 마를 때 시원하게 들이키는 물 한 잔이 보약이다. 좋은 물이란 그저 맑고 깨끗하면 된다. 오염된 물만 아니면 인체에는 별 문제가 없다. 건강에 좋은 물이란 물자체에 특별한 성분이 있거나 별다른 성질이 있는 물이라기보다 필요할 때 인체에 섭취되는 물이다. 해로운 성분만 없으면 된다.

그런데 세상에는 건강에 좋다고 주장하는 물이 널려있어서 그 물을 못 먹는 사람은 오히려 건강이 안 좋아질 것만 같은 우려를 갖도록 만든다. 알프스 눈 녹은 물, 해양심층수, 2억 5천만 년 전 황토 암반수, 백두대간 지하 암반수, 알칼리 이온수 그리고 또 무슨 물이 등장할지 모른다. 물을 전기분해해 알칼리수와 산성수로 나눠 알칼리성을 띤 물만 마시자는 주장이 있다. 알칼리 생수는 미네랄이 풍부해 맛이 상쾌할 뿐 아니라 물 흡수가 잘 되고 위와 장에서 해로운 세균의 성장을 막으며 배설이 잘 되어 생체활동을 돕는다는 말이다. 그러나 미용에는 약산성이 좋아 약산성수로 세수와 목욕을 하면 피부가 고와지고 탄력이 생기며 주름살도 줄어든다고 한다.

수온이 체온 보다 20~30℃ 낮은 8~14℃일 때 청량감을 느끼며, 이취미가 없는 자연수 상태일 때 더욱 맛있게 느낀다고 한다. 그러나 물맛에 대한 느낌은 물을 마실 때의 분위기, 온도, 건강상태 등 음용 당시의 환경과 기분에 의해 크게 달라진다. 일반적으로 좋은 물, 맛있는 물이란 중금속, 오염물질 등 유해성분이 없고, 미네랄(칼슘, 칼륨, 마그네슘, 나트륨)이 적당량 함유되어 있으며, 청량감을 주는 물이 맛있는 물의 조건이다.

물은 맑고 깨끗한 상태로 몸이 원할 때 적절히 마시면 된다. 굳이 몸에 좋은 성분을 섭취하려면 식품에서 섭취하는 것이 좋다. 인공적으로 만들어 파는 물 가운데 몸에 좋은 것은 없다고 해도 과언이 아니다.

4. 물의 위기

　물의 위기는 이미 전 지구적인 문제이다. 그러나 범세계적인 기상이변도 항다반사여서(이변이라 일컬어지는 일들도 만날 일어나면 일상이 되는가) 그나마도 이제는 별 대수롭잖게 여기는 듯하다. 하지만 속내평을 들여다볼수록 그 징후는 심각하다. 가뭄이나 큰물은 때마다 겪는 재난이지만 근자에는 더 잦아지고 위력도 예전과는 비교가 안 될 만큼 드세어졌다. 하지만 물의 위기는 지구 생태위기 가운데서도 가장 근원적이고 심각한 문제이지만 또 가장 간과되기 쉽다.

　무릇 우리 삶이란 어차피 우주 속 지구 생태계 안에서 이루어지는 것이어서 결코 자연의 섭리에서 비켜날 수 없다. 우리가 삶을 인위로 꾸려가면서 자연의 법칙에 따른다면 순조롭게 발전하겠지만, 이 흐름을 거스르게 된다면 그만큼 저항은 가파르게 드세어질 것이다. 지난날 우리 선조들이 꾸려온 삶의 방식이나 문화는 자연의 질서와 법칙에 순응하여 그야말로 물 흐르듯 하여왔지만, 오늘의 우리들은 입때껏 이루어 온 그 보잘 것 없는 과학의 업적과 문명에 도취되어 기고만장 하늘 무서운 줄 모르고 날뛰고 있다.

　자연이란 어지간한 거역쯤은 포용하고 인내하지만, 과연 어디가 역치閾値(자극에 대해 반응하기 시작하는 분계점)인지 알 수 없기에 심히 두려운 것이다. 자연의 이치란 한계에 이를 때까지 뚜렷한 징후가 없다가 그 한도를 넘어서는 순간 급격한 변화를 몰아 올 것이기 때문이다. 그러므로 미미한 자연 변화의 조짐에도 겸손해져야 하는 까닭이 바로 여기에 있다. 언제 어디서건 자연에 인위를 가할 때에는 과연 이 일이 자연의 순리를 따르는 일인가 아닌가를 먼저 거듭 숙고하고 신중하게 움직여야 하는데도 욕심이 앞서 왕왕 일을 그르치고 있다.

지구 생태계 내에서의 거대한 물 순환과 분배는 중력과 태양에너지에 의해 일어난다. 이러한 물 순환은 생태적인 과정의 하나이다. 하늘에서 내리는 비는 하천과 저수지 그리고 지하수층에 물을 공급하는 원천이 된다. 특정 생태계에 물이 얼마나 공급될 수 있는지의 여부는 기후와 지형, 식생 그리고 토양의 특성 등에 의해 영향을 받게 되는데, 오늘의 무지한 인간들은 물 순환의 각 단계에서 생태계가 물을 수용하고 흡수하고 저장하는 능력을 훼손시켰다.

숲은 자연의 댐이다. 비가 내리면 일단 물을 가두었다가 천천히 흘려보내는 역할을 한다. 나무의 수관樹冠(줄기와 잎이 많이 달려 있는 윗부분)이 비의 낙하강도를 조절하여 빗줄기가 흙을 패지 않도록 한다. 땅에 흡수된 물은 개울물을 이뤄 흘러가거나 지하수를 충전시키고, 일부는 다시 증발된다. 지표면이 낙엽으로 덮여 있거나 이들이 분해된 부식토로 이루어져 있다면 물을 좀 더 오랫동안 가둘 수 있다. 그러나 숲을 베어내거나 단일경작을 하게 되면 물이 쉬 흘러내려서 토양의 물 보존능력이 고갈되고 만다.

물 순환체계가 손상된다는 것은 자연의 물 공급 수로가 파괴되는 것과 같다. 물이라는 자원의 생태적 가치를 존중하고 이 위대한 흐름이 왜곡되지 않도록 보다 더 신중하고 겸손해져야 한다. 결코 탐욕이 생존보다 우선할 수 없다. 생존을 위해 절대적으로 필요한 물의 순환을 교란시키게 되면 물의 공평한 분배가 이루어지지 않아 결국 모든 생명체들을 위기의 벼랑으로 몰아세우는 꼴이 될 것이다.

　시장경제를 통하여 물의 위기를 해결할 수는 없다. 시장이란 물의 다양한 생태적 가치가 파괴되는 것을 반영하지 못한다. 시장경제적인 해결책은 자연생태계를 파괴하고 불평등을 더 심화시키게 될 것이다. 만일 물이라는 자원을 시장가치 측면에서만 평가하고 취급한다면 결국 불공평하고 지속 불가능한 방식으로 사용하게 될 것이다. 시장경제적인 가치란 수많은 변수들에 의해 본질의 가치를 심각하게 왜곡시킨 것이기 때문이다. 또한 자본은 그 속성상 선악을 가려 움직이지 않는다. 사회적 윤리나 공익과는 상관없이 오직 제 몸집을 부풀리는 일에만 관심이 있다. 불행하게도 지구가 멸망하게 된다면 그 원인의 하나로서 가장 큰 기여는 아마도 자본이 차지하게 될 것이다.

　일반적인 견지에서 생태계 재충전에 사용되는 물은 자칫 낭비되는 것으로 간주하기 쉽다. 댐으로 가두지 않으면 강물을 아무런 소용도 없이 흘려버리는 것으로 생각한다. 따라서 강물을 합리적으로 사용한다는 개념에서 댐 건설과 수리사업이 힘을 싣는다. 그러나 물길은 단순히 물이 흘러가도록 만들어진 길이 아니다. 복잡한 에너지 체계가 관여하여 수렴과 확산을 거듭하면서 꼬불꼬불한 물길을 이룬다. 하지만 댐은 강의 이런 자연적인 에너지 체계를 교란하고 물길을 바꾼다. 흐름이 정체되거나 바뀌게 되면 당장 유역에서의 물 분배가 영향을 받는데, 인위적인 유역간 물 이동이 이루어지면 혼란이 일어나고 그 결과를 예측하는 일도 곤란해진다.

건설사업을 주관하는 거대조직은 벌이고자 하는 사업의 실효성
이나 경제성을 냉정하게 따지는 일은 애써 외면한다. 오직 대규모 사
업을 펼쳐야만 한다는 일념에 사로잡혀, 그것이 합당하다는 자료와
논리를 끌어대기 위해 무슨 일이라도 한다. 그것은 자신이 속한 조직
의 존재 근거를 마련하는 일이기 때문이다.

댐의 건설로 말미암아 치르게 되는 생태적 그리고 사회적 비용은
혜택보다 훨씬 크다는 사실이 속속 밝혀지고 있다. 물을 가둔다는 것
은 생태적인 물 흐름을 정체, 왜곡시키는 일이다. 이로 인해 깨어진
생태계의 균형이 다시 제자리를 잡기까지 오랜 시간동안 혼란에 따
른 고통을 감내하여야 할 것이다. 강물의 흐름은 처음부터 끝까지 끊
임없이 이어져 있어서 어느 한 군데라도 손을 대면 전체에 영향을 미
치기 마련이다. 침수에 따른 생태적인 충격, 대규모로 저장된 물이
생태계에 미치는 영향 그리고 수로와 관개에 따르는 영향도 막심하
다. 또한 댐 건설은 수몰로 인해 발생하는 문제뿐만 아니라 광범위한
관개가 빚는 물의 과용과 오용에 기인하는 많은 문제들을 초래한다.

무슨 일에서건 규모가 커지게 되면 반생태적인 구조로 돌아서게
된다. 우리 선조들이 일궈왔던 계단 논과 저수지는 현대식 다목적 댐
의 기능을 다 하면서도 자연 생태계에 미치는 피해를 최소화 한 지혜
의 산물이었다. 논은 식량공급원의 역할 뿐 아니라 홍수를 조절하고
토양 유실을 막아주며, 지하수 함양, 산소공급, 기온 조절 등 여러 가
지 기능을 담당한다. 사실은 쌀 생산액보다도 이들 다양한 기능들이

기여하는 경제적 가치가 훨씬 크다. 그런데도 화석연료를 사용하는 기계화가 곤란하다는 이유로 버림받고 있고, 난데없이 애먼 개펄을 매립하여 농경지를 못 만들어서 안달이다.

소위 산업화가 숨 가쁘게 진행되면서 국제화·세계화(나는 아직도 이게 어떤 차이가 있고 왜 해야 하는 것인지 모른다)를 부르짖는 동안에 오랜 과거로부터 전해져 오는 선조의 지혜와 방식들은 좀 덜떨어지고 해망쩍은 것으로 내동댕이쳐지고 말았다. '재래식'이라는 앞말이 붙은 방식은 모두 효율이 낮고 속도도 느린 것을 일컫는 말이다. 그러나 전통의 지혜와 문화는 자연의 법칙에 순응하고 생태계의 용량 내에서 이루어지는, 지속 가능한 방식이었다.

전래의 방식에서 농작물의 선정은 전적으로 주변의 물 사정에 달려 있었다. 물이 부족한 지역에서는 가뭄에 강한 종자를 심었고, 물이 풍족한 지역에서는 많은 물을 요구하는 곡물을 심었다. 그러나 지금은 생산성만 중시하여 단일경작을 선호함으로써 이처럼 다양한 작물들과 농사방법을 잃어버리고 말았다. 녹색혁명 이후 수확량은 적지만 물을 적게 소비하는 작물은 열등품종으로 여겨 물을 많이 소비하는 작물만 득세하게 되었다. 물의 가치는 무시되고 시장경제에 따른 노동력의 생산성에만 매달리고 있다.

산업형 농업은 식량생산에서 물을 한계요인으로 인식하지 않고 물의 낭비를 조장하였다. 그 결과 대규모 물 저장시설 때문에 물의 낭비가 가능하였고, 물의 낭비로 말미암아 대규모 물 저장시설을 만들어야 하는 궁지에 스스로 몰리고 말았다. 유기질비료 대신 화학비료를 선택하고 물 절약형 작물 대신에 물 소비형 작물을 선호함으로써 물 부족과 사막화, 토양침수 그리고 염분화 등의 부작용을 불러오고 말았다. 그러나 전통적인 농법에서는 토양수분의 보존을 매우 중요하게 여겨 유기질 비료를 사용하고 사이짓기를 하였다.

산업형 농사법은 강과 호수에 해로운 영향을 끼칠 뿐만 아니라 지하수층에까지 영향을 미친다. 화석연료를 이용한 지하수의 개발과 남용은 수자원을 황폐하게 만들었다. 지하수의 보충에 대한 깊은 사려가 없는 무분별한 채취는 지속적인 이용을 불가능하게 만들 것이다. 지표수와 지하수를 별개로 다뤄서는 안 된다. 지표수가 지하수를 충전시키기 때문에 지하수가 고갈되면 하류 지역의 지표수가 영향을 받을 수밖에 없다. 지하수를 지속적으로 이용하려면 지하수원에 물이 재충전될 수 있도록 배려해야 하며 재생가능한 수량의 한도 내에서 이용하여야 한다.

가뭄으로 인한 물 부족을 해결하기 위해 지나치게 지하수를 개발해 온 중국 화베이華北 지역에서는 지하수위가 심한 곳은 90미터까지 낮아져 지반침하 현상이 일어나고 있다. 바다를 끼고 있는 지역에는 바닷물의 역류현상이 일어나고 이로 인해 지하수의 염분 농도가 높아져 더 이상 사용할 수 없는 물이 되고 말았다. 그런데도 이런 지반침하는 더 광범위해질 것으로 전망하고 있고 물 부족에 점점 더 시달리게 될 것으로 예상한다.

유전공학이 물 위기를 해결할 것이라는 생각은 위험하다. 대규모 자본의 음모가 깔린 유전자 조작 작물은 가뭄에 강한 재래품종을 배

척할 것이고, 토양 침식을 가속화 하여 결국 물 위기를 더 악화시키는 결과를 불러 올 것이다. 제초제는 모든 토양피복식물을 말려서 토양이 태양과 비에 직접 드러나도록 만들 것이기 때문이다.

한 지역에서 물의 부족이나 풍요는 환경요인이 아니라 어쩌면 물 문화의 산물이라고 볼 수 있다. 물을 낭비하고 물의 순환을 파괴하는 문화에서는 아무리 물이 풍부한 곳이라도 결국 물이 부족할 것이고, 물 한 방울이라도 아끼는 문화에서는 부족한 물을 풍부하게 만들 수도 있다. 오히려 물이 절대적으로 부족한 곳일수록 생태적이고 지속 가능한 물 공급체계를 창조하여 유지해 왔다. 전통의 생태적인 배려와 물 절약 문화가 조화되어 물의 풍요를 가능하게 만든 것이다.

물은 생명을 잉태하고 만물에 영양을 나르며 기르는 역할을 한다. 물이 흐르는 강은 성스러운 곳이어서 발원지뿐만 아니라 강물이 열리는 곳, 휘감기는 곳, 굽이굽이마다 수많은 신화와 전설이 서려있고, 그 설화의 바다 속에서 후손들이 자라났다. 그러나 수도꼭지와 생수 병이 등장하면서 물은 더 이상 신비와 경애의 대상이 아니라 공산품 취급을 받는 처지로 전락하고 말았다. 이런 곳에서 인간 역시 그저 쓰고 버려지는 소모품 취급받기 십상이다.

산업혁명 이후로 자본이 득세하게 되면서 자원의 영적, 생태적, 문화적 중요성은 증발되고 말았다. 숲은 더 이상 생명을 품는 생태계의 터전이 아니라 목재를 찍어내는 공장이 되고 말았다. 이 소중한 생물학적 다양성의 보고가 탐욕으로 가득 찬 자본의 눈에는 오직 유전자 채취를 위한 광산으로 보일 뿐이다. 그러나 세상에는 결코 돈으로 살 수 없는 것들이 분명 있다.

    물을 우리 의식의 성스러운 장소로 되돌리는 일로부터 해결 방안을 찾아야 한다. 신성한 물은 시장을 넘어서 우리를 신화와 전설이 가득한 세계, 조화와 배려 그리고 문화와 의미로 가득한 세계로 이끈다. 물을 아끼고 소중하게 여기며 더불어 나누고, 부족한 물을 변화시켜 풍요로운 물로 만드는 지혜를 되살려야 한다.

---

1. 빗물은 땅이나 바다에서 증발한 수증기가 서로 모여서 떨어진 것이다. 본디 자연수 중에서 가장 순수한 물이지만, 땅에 이를 때 공기 중의 먼지·매연·세균·미생물 등을 핵으로 하여 떨어지므로 더러워진다. 구름 속에는 1㎤ 당 100~400개의 구름 알갱이가 떠 있는데, 이 알갱이의 지름은 0.004~1㎜다. 빗물은 단물이기 때문에 비누가 잘 풀려 빨래하기 좋지만 직접 쓰이는 양은 아주 적다.
2. 해마다 육지에 내리는 비나 눈의 양은 12만㎦로 얼음을 뺀 전체 민물 양의 4분의 1쯤 된다. 그러니까, 민물의 4분의 1이 매년 새물로 바뀌는 셈이다. 바다로 흘러드는 물 하나 없이 증발만 계속된다면 4천3백 년 뒤에는 바닥을 드러내게 된다. 거꾸로 대기 중의 수증기가 모두 비로 내리는 데에는 2주일이 걸린다. 이렇듯 어마어마한 물이 끊임없이 모습을 바꿔가며 순환한다.
3. 얼음이 되면 10분의 1쯤 부피가 더 커진다. 무게는 그대로인 채 부피만 늘어나므로 그만큼 가벼워져서 물에 뜬다. 이런 연으로 빙산이 바다에 10분의 1만 얼굴을 내보인 채 떠다닌다.
4. 서리는 딱딱한 물체에 붙어서 자라는 얼음의 결정이다. 서리의 결정도 눈의 결정과 마찬가지로 공기 속의 수증기가 곧바로 고체인 얼음이 되어 차츰차츰 커진 것이다.
5. 물은 태양열을 흡수하는 일 뿐만 아니라, 열을 운반하고 나누어 조절하는 역할을 한다. 수증기나 구름이 열을 담아서 바람 따라 다니다가 차가운 곳에서는 열을 내어놓는다. 바닷물도 온 세계의 바다를 돌면서 열을 나눠주고 있다.

먹는 물 정책 훑어보기

●

이 준 경

1. 수돗물이란?

1) 건강한 물에 대한 정의

수돗물은 상수도에서 나온 물을 말하며, 인류의 역사에서 가장 획기적인 발명품 중의 하나다. 물은 부피가 커서 대량으로 운송하기 어려워 하나하나의 통에 담아 운반할 수밖에 없었는데 수돗물은 상수도를 통해 위생적인 물을 인간의 생활공간 한 가운데 효율적으로 시민들에게 공급하였다.

영국의 의학전문지 브리티시메디컬 저널에 따르면, 위생적인 수돗물의 공급은 1840년 이래로 가장 중요한 의학적 진보라는 평가를 받았다. 세계보건기구WHO는 "깨끗한 물은 사람의 건강을 증진시킨다"라고 물이 인체에 미치는 영향에 대해 강조하였으며, 안전한 식수와 개인위생 향상을 통해 질병의 위험을 9.1% 낮출 수 있으며, 6.3%의 죽음을 예방할 수 있다고 발표했다.

2) 수돗물 역사

도시의 핵심 기반시설 중 하나인 수도를 처음 제안하고 설계, 건설한 사람은 기원전 312년 로마의 재무관censor 아피우스 클라우디우스 카에쿠스Appius Claudius Caecus다. 세계 최초의 수도는 총 길이가 16.6킬로미터로 창시자 아피우스의 이름을 따서 '아피아 수도Aqua Appia'라 불렀다. 아피아 수도의 특징은 적의 공격으로부터 수도를 보호하고, 오염원 노출을 피해 좀 더 위생적인 물을 공급하기 위해 100미터 정도를 제외한 전 구간이 지하로 건설되었다. 로마제국 시대에 건설된 로마 수도는 모두 열한 개로 수도관의 총 길이는 578킬로미터에 이른다

로마시대 이후 끊겼던 수도가 다시 건설된 곳은 1582년 영국 런던이다. 당시 유럽은 급격한 인구 증가로 인해 도시기반 시설로 수도가 필요했다. 템즈강의 물이 수도를 통해 영국 시민들에게 공급되었지만 마실 정도로 깨끗하지 않아, 로마의 수도처럼 멀더라도 깨끗한 수원지에서 물을 가져오는 방법이 논의되어, 1619년에 수도 전문 회사를 설립하고 정수처리를 거쳐 수돗물을 공급하기 시작했다. 위생적인 수돗물 생산 공정의 첫 도입이었다.

이후 산업혁명으로 인해 생산 활동이 증대되고, 사람들은 도시로 몰려들었지만 하수도 시설이 부실하여 하천의 오염은 심각해져 콜레라 등 각종 수인성 전염병이 창궐했다. 1804년 영국의 파슬리Paisley에 의해 시작된 완속사 여과법Slow Sand Filtration은 물이 자연스럽게 모래층을 투과하면서 여과되는 방식이다. 이에 반해 급속사 여과법은 1884년 미국의 하이얏A. Hyatt이 황산철을 사용하는 응집법을 개

발하면서 시작되는데, 현대와 같이 약품을 투입해서 이물질을 크게 뭉치게 섞은 후, 가라앉게 하고, 여과를 시킨다. 그 후 염소 소독을 하는 방식으로서, 현재 세계 각국에서 많이 사용하는 방법이다.

3) 근대 한국의 수돗물 역사

조선 시대에 물과 관련된 생활상은 1912년에 발행된 "조선의 상수도"라는 자료를 통해 추측해 볼 수 있는데, 당시 서울지역 우물은 9,241개소 중 12%인 1,091개만이 마시기에 적합하고, 나머지는 부적합했다고 한다. 우물 사용 가구 총 3만 8호 중 42.5%인 1만 2,739호가 마시기에 적합한 물을 사용하고 있었다. 한편, 강물을 이용하고 있던 가구도 8,107호로 전체 가구 수를 기준으로 보면, 다섯 가구 중 네 가구는 우물물을, 한 가구는 강물을 마시고 있었다. 근대 한국의 수돗물 역사는 1903년으로 거슬러 올라간다. 그 해 12월 9일 미국인 콜브란C. H. Collbran과 보스트윅H. R. Bostwick은 고종황제로부터 상수도 부설 경영에 관한 특허를 받았다. 그들은 이 특허를 1905년 8월에 영국인이 설립한 대한수도회사Korea Water Works Co.로 양도했고, 이 회사가 1908년 9월 1일에 서울의 뚝도 정수장을 준공하였다. 당시 서울 뚝도 정수장의 규모는 12만 5천 명에게 공급을 위해 침전지 2개, 여과지 5개, 정수지 1개를 갖추고 하루 1만 2,500톤의 위생적인 물을 생산했다. 해방 전까지 전국에는 83개 도시에 수도시설이 갖추어져, 인구 200만 명이 수돗물 공급을 위해 1일 급수량은 272,000톤을 생산했다.

4) 부산 수돗물 역사

부산의 수돗물 역사는 고종 23년, 1886년 대신동 구덕산 발원지 보수천에서 자갈치 해수욕장까지 4.8km 대나무 죽관을 사용한 것이 시초이다.

1900년 2,000 톤/일 규모의 구덕수원지를 개발하고, 1910년 45,000명에게 공급하는 규모의 성지곡수원지를 건설하였고, 이후 1930년경 인구가 20만 명을 넘어서자 15,000 톤/일 규모의 범어사 정수장과 법기수원지를 추가 개발하였다.

해방과 피난민의 유입으로 인구가 급증하자 1946년대 후반 200만 톤 규모의 회동 수원지댐을 건설하였다. 이후 부산시가 1963년 직할시로 승격되어 행정구역이 확장되고 급수인구 250만 명을 넘어서자 대규모 취수원을 낙동강 물금, 양산지역으로 옮기기 위해 1966~1971년 외자도입으로 낙동강 도수로 및 물금취수장과 화명, 덕산정수장을 건설하였다. 이리하여 현재 부산 상수관의 길이는 8,483km이고 유수율은 93%에 달한다.

부산시는 2004년까지 190만 톤/일 규모의 정수장 고도처리 시설을 완료하고, 전국최대 263종 수돗물 수질을 감시하고 있으며, 지자체 최초 고도산화시설AOP을 도입했다. 부산시는 스마트워터그리드(정보통신기술 ICT을 이용한 고효율의 차세대 물 관리 인프라 시스템으로 물의 생산과 공급, 소비를 실시간으로 체크하면서 수자원과 상하수도를 효율적으로 관리하여 물 낭비도 줄이고 수질관리도 기여한다) 도입을 통한 스마트 물관리로 물안보와 물복지 실현을 목표로 하고 있다.

2. 수돗물 현황

1) 수돗물 이용 현황

개발도상국들의 경제성장에 따라 세계인구가 급속도로 늘어나면서 물 부족 위기가 심해지고 있는데 지구상 인구의 40%에 이르는 26억 명이 깨끗한 물을 공급받지 못하고 있으며, 물 오염 때문에 매년 어린이 200만 명이 사망하고 있다고 UN은 경고하고 있다.

우리나라의 수돗물은 UN에서 개발한 물개발보고서에서 122개 국가 중 원수의 수질지수가 세계 8위를 차지하고 있다. 그러나 한국의 수돗물 음용률이 3%~5%, 유럽선진국 음용율은 50% 전후인데, 연간 15조원을 쏟아 부어 만든 수돗물을 국민의 97%가 불신하고 마시지 않는 것은 OECD 국가들의 음용률와 비교할 때 부끄러운 수준이다. 수돗물을 마시지 않는 이유는 잦은 수질오염사고, 부정적 언론보도로 인한 막연한 불안감, 상수 원수 수질문제, 오래된 물탱크와 낡은 상수관 불신, 4대강 사업으로 인한 녹조창궐, 건강하고 맛있는 수돗물 요구증가 등이다.

우리나라 총인구 52,000만 명 중 상수도 보급률은 98%에 달한다. 1인당 공급가능 용량은 일 570ℓ이고, 실제 급수량은 일 335ℓ, 물 사용량은 근 10년간 280ℓ로 정체되고 있다. 하지만 독일(150ℓ), 덴마크(188ℓ) 등을 훨씬 뛰어넘는 수준이다. 물을 이렇게 많이 사용하는 우리나라에서 정수기는 물 낭비의 주범으로 꼽히는데 1컵의 물을 정수하기 위해 3~4컵의 물이 버려진다고 한다. 과잉 투자된 정수장 시설은 최근 들어 감소되고 있으나, 아직도 가동률은 53% 정도여서

2014년 감사원 감사로 4조 원의 예산이 낭비되었다고 밝히고 있다.

2014년부터 파주시 일원에 정보통신기술(ICT)을 활용하여, 수돗물의 수량과 수질정보를 주민에게 실시간으로 알려주는 스마트워터시티(Smart Water City, 이하 SWC) 시범 사업을 시행한 결과, 수돗물 직접 음용률을 1%에서 24.5%까지 높이는 놀라운 성과를 이루어냈다. 국민들의 먹는 물 패러다임도 변화되어 수량 확보와 전염병 예방→수질기준강화, 유해물질 제거→안전하고 깨끗한 수돗물을 위한 고도정수처리 도입→인체에 건강하고 맛있는 고품질 수돗물을 요구하고 있다.

2) 수돗물 오염 사건

수돗물 오염사고가 처음으로 언론의 주목을 받은 것은 1989년 건설부가 대통령의 특별 지시로 전국 상수도 수질을 검사한 결과 철, 카드뮴, 페놀 등이 기준치를 초과했고 대장균, 일반세균, 암모니아성 질소 등도 조사대상 46곳 가운데 10개 정수장에서 기준치를 초과했다는 발표가 나오면서부터다. 이 발표는 정부 스스로가 수질기준을 초과한 수돗물 검사 결과를 공개한 것으로는 사실상 처음이어서 언론에서도 이 문제를 대대적으로 다루었고 시민들이 받은 충격도 대단했다.

1990년 수돗물 트리할로메탄THM 검출 파동에 이어 1991년 최악의 낙동강 페놀오염사고가 터졌다. 구미시 두산전자에서 페놀 원액 30톤이 누출되면서 시작된 사태는 대구시 수돗물의 70%를 공급하는 다사 수원지에 유입. 공급되어 오염된 수돗물을 마신 시민들은 수돗물 악취와 구토, 설사, 복통으로 고통을 겪는 사태가 발생했다. 대구시나 정부는 48시간 동안 안전하다는 말만 되풀이하면서 소독제만 쏟아 부었는데 페놀이 이와 결합하면 악취가 최고 1만 배나 증가하는 클로로페놀이 생성된다는 사실도 알지 못했다. 페놀오염사고는 한 회사의 실수로 일어난 사고였지만 이에 대응하는 정부와 자치단체의 모습을 지켜보면서 정부나 자치단체의 정책이나 행정능력에 대한 국민의 불만은 엄청나게 터져 나왔다.

이후에도 계속 1993년 서울대 미생물학과 박성주 박사와 서울시의 수돗물 세균오염 논쟁, 1994년 낙동강의 유량이 크게 감소해 외부에서 들어온 화학물질에 의한 달성, 마산, 부산의 낙동강 유기용제 오염사고, 1997년-2001년 서울대 김상종 교수와 환경부간의 수돗물 바이러스 논쟁, 수돗물 불소화 논쟁, 기장 해수담수 논쟁 등 수돗물 안정성에 대한 끊임없는 논란이 계속되고 있다.

3. 다양한 수돗물정책 훑어보기

1) 생수 문제
우리나라 생수 개발의 역사는 1975년 9월, 생산 전량을 수출하거나 주한 외국인에게 판매한다는 조건으로 제조 허가가 났던 것이 그 출발이 되었다. 이후 1980년대 무렵부터 생활수준의 향상과 함께 생수의 수요가 생기기 시작했으나, 생수의 판매가 정식으로 허용되지 않아 업자들이 판매하는 것들은 합법적인 것은 아니었다.

1988년 서울 올림픽 무렵 외국인들을 위하여 일시 판매를 허용했던 적이 있었고, 1989년 먹는 샘물의 국내 시판을 둘러싼 찬반 논쟁 본격화 이후 생수 제조·판매업자들이 헌법재판소에 헌법 소원을 청구하였으며, 1994년 생수 판매 금지 조치는 깨끗한 물을 마실 권리(행복추구권)를 침해한다는 대법원 판결을 내렸다. 이에 따라 정부에서는 1995년 '먹는물 관리법'을 제정, 생수 판매를 합법화하였다. 이제 먹는 샘물은 편의점에서 500원 가량만 지불하면 어디서든 구할 수 있고, 인터넷으로 주문하면 집 앞까지 배달해 준다. 먹는 샘물은 특히 혼자 사는 1인 세대에게 인기가 많다. 이처럼 편리한 먹는 샘물은 정부에서 지정한 안전기준이 있기 때문에 대체로 큰 문제는 없지만 모든 먹는 샘물이 다 안전하다고 장담할 수는 없다.

품질검사의 문제 : 2년 전 환경부와 검찰이 함께 37개 제조업체에 대한 '전국 먹는 샘물 제조업체 합동 점검' 결과 품질검사를 실시하지 않은 채 제품을 생산, 유통해온 업체 17곳을 적발하였고, 이중 일부는 6개월에 한 번씩 의무적으로 받아야 하는 전염성 질병 관련 검사조차 받지 않은 것으로 확인됐다. 게다가 이렇게 만들어진 먹는 샘물이 적발 이후에도 회수되지 않은 채 소비자에게 팔려 나갔고, 2011년부터 2015년까지 5년간 회수·폐기 대상이 된 먹는 샘물은 10%조차 회수가 되지 않았다고 한다.

수원지 문제 : 또한 농경지, 하천, 축사 등의 부근에서 퍼올린 생수의 수원지가 문제도 있다. 정확한 수원지를 표시안한 제품들이 있다. 예를 들어 '강원도 OO군 OO읍' 여기까지만 수원지 주소가 표시되

어있고 그 다음 주소가 안 나와 있다.

유통과정의 문제 : 생수는 만들어서 유통과정까지 6월정도 걸리는데 6개월 동안 상온과 햇빛에 장시간 노출될 경우 미생물이 증식할 수 있다. 생수가 담겨있는 페트병의 영향도 무시할 수 없다. 생수통 재사용도 세척 문제의 신뢰도도 있고, 용기의 특성상 외부로부터 들어오는 투과물질, 고온이나 직사광선으로 인한 유해물질, 악취 등의 문제가 있으니 유통기한을 따져보는 것이 필요하다.

병물 생수의 오염문제 : 해외의 경우 병물 생수는 폐기물과 플라스틱 용출 오염물질에 대한 문제로 인해 음수대 설치를 단계적으로 확대하고 있으며, 대규모 시 행사에 음수대 무료 설치공급, 공공장소 병입 생수 판매금지, I Heart Tap Water 캠페인(수돗물 마시기 운동), 텀블러 무료제작 공급, 수질 결과 수도요금청구서 기재 등 수돗물 음용 홍보와 수돗물 정보 투명성을 높여 수돗물 신뢰도를 높이고 있다. 이러한 정책은 병물 생수의 경제적 환경적 이유만이 아니라 건강을 위해 탄산음료 과다 섭취를 줄이고자 시작하였다. 그 외에도 최근 한국의 생수업체에서 기준치를 넘어서는 우라늄이 검출된 사건이 JTBC를 통해 보도된 바 있고, 2014년에도 우라늄이 검출되었다는 보도가 있었다.

2) 정수기 문제

정수기 물 역시 100% 안심할 수 없다. 정수기 시장 규모는 1조 9천5백억 원(2014년)에 달하며, 정수기가 마치 필수품인 양 인식되고 있는 상황에서 코웨이 정수기에서 니켈 등 중금속 성분이 검출되어 소비자들이 분노한 사건이 있었다. 그럼에도 이번 사태에 대해 정수기 관련 제도를 총괄하는 환경부는 어떤 방침도 공식발표하지 않고 '모르쇠'로 일관하고 있다.

정수기 인증이 제빙기는 산업통상자원부, 정수 물에 대한 관리는 환경부가 각각 나눠 맡고 있는 것도 문제인데, 더 심각한 문제는, 독립적인 인증기관에서 정수기 품질인증관리를 맡고 있는 게 아니라, 정수기기업의 권익모임인 정수기공업협동조합이 담당하고 있다는 점이다.

정수기품질 검사기관을 독립적인 기관으로 지정 전환이 필요하다. 또한 정수기는 얼음 정수기, 어린이용 정수기, 하이브리드 정수기 등 갈수록 부가기능이 다양해지고 있다.

그러나 현행 정수기 품질검사에서 부가기능에 대한 안전성이 포괄되지 못하는 부분에 대해 제도마련이 시급하다. 그리고 정수기 광고에서 부가기능이 마치 특수한 정수 기능이 있는 것인 양 과대 포장하여 광고하는 것에 대해 규제방안 마련과 정수기에 문제가 발생했을 때 '일시 정지권'을 행사하는 소비자 권리를 약관 포함 등의 정책이 필요하다. '정수기 물도 끓여먹어야 하나'는 안전성에 대한 소비자들의 불만을 보면 정수기 또한 마냥 안심할 수는 없는 상황이다.

3) 수돗물 제자리 찾기

수돗물이 먹는 샘물이나 정수기 물보다 상대적으로 저평가되고 있다. 그 이유는 수돗물 염소 냄새, 페놀 사건, 4대강 녹조라테처럼 누적되어 온 상수원에 대한 불안감 등을 무시할 수 없다. 그럼에도 불구하고 수돗물의 안전성에 있어서는 다른 물보다 전혀 뒤처지지 않다.

우리나라 수돗물이 좋은 이유는 경제적인 측면에서 수돗물 평균 가격이 1ℓ당 0.51원으로 생수보다 1,000~3,000배 저렴하고, 정수기물보다는 700배 저렴하다.

안전성 측면에서 살펴보면 수돗물에 들어있는 미량의 염소는 미생물로부터 안전하게 지켜주고, 수인성 전염병으로부터 지켜준다. 반면에 정수기물은 잔류염소를 제거해서 일반세균에 취약하고, 수조나 배관에 미생물이 번식할 우려가 있으며, 먹는 샘물은 소독하여 밀봉했지만 개봉해서 놔두었다가 먹을 경우 미생물이 번식하며, 먹는 샘물 병을 직사광선에 방치할 경우 환경호르몬이 검출될 우려도 있어 안정성측면에서도 수돗물이 가장 우세하다고 할 수 있다.

환경보호측면에서도 먹는 샘물의 페트병 발생률은 2011년 기준으로 500㎖ 페트병이 70억 개나 된다고 하며, 탄소배출량을 살펴보면 생수는 수돗물보다 700배 많은 탄소를 발생시키고, 정수기는 1,500~2,000배 많은 탄소를 발생시킨다고 한다.

이렇게 수질 관리도 잘하고, 수돗물 맛도 좋고, 경제, 건강, 안정, 환경적인 측면에서 먹는 샘물이나 정수기물보다 수돗물이 우위에 있는데도 불구하고 우리나라사람들이 수돗물을 음용하지 않는 이유는 무엇 때문일까? 바로 우리나라 사람들이 물탱크나 낡은 수도관에 대해 막연한 두려움을 갖고 있는 것이 가장 큰 이유이며, 정수기회사나 생수회사가 언론사를 통해 수돗물에 대한 부정적인 정보를 지속적으로 제공해 수돗물에 대한 부정적인 여론을 지속적으로 확산하고 있기 때문이다.

수돗물에 대한 막연한 불안감을 해소하기 위해서는 4대강 보개방을 통한 녹조제거와 원수수질 개선, 노후화된 상수관 교체, 아파트와 같은 집합건물의 저수조와 옥내 배관의 철저한 관리로 수돗물의 안전성 확보가 필수적이며, 가장 중요한 것은 바로 우리 집 수도꼭지에서 나오는 수돗물이 안전하다는 인식을 심어주는 것이 필요하다. 전 국민이 수돗물을 언제 어디서든지 마음 놓고 마실 수 있는 문화가 확산된다면 먹는 물로 인한 불필요한 사회적 비용이 많이 감소할 것이고, 환경오염도 많이 감소할 수 있다. 이렇게 되면, 생수와 정수기에 지출하는 비용도 부담이 되는데, 먹지도 않고 기껏해야 세탁이나 하고 화장실 물 내리는 것 밖에 하지 않는 수돗물 요금 인상에 저항하는 시민의 저항감도 줄일 수 있다.

시민들이 수돗물을 기피하고, 수도요금은 시설유지 비용에 부족한 현재의 상황이 지속되면, 재정 압박을 받는 수도 사업은 점점 쇠락하고 수돗물은 갈수록 수질도, 공급 상태도 악화될 수밖에 없다. 결국 샤워나 아기 옷 빨래하기도 께름칙하다는 말이 나오게 되고, 개인적으로 정수기에 더 의존하게 되면서 물로 인한 비용의 지출은 갈수록 증가할 것이니 수도의 쇠락이 미치는 피해는 궁극적으로는 국민들에게 돌아간다.

우리나라 수도요금은 낮은 요금 현실화율에 따른 악순환으로 적정한 투자재원 확보가 어려운 문제점을 가지고 있다. 총괄 원가에도 못 미치는 요금수준이 장기적으로 지속되면 유수율 제고나 음용수의 수질개선을 위해 노후화된 배관망의 유지보수. 교체개량. 신규투자에 등에 투자할 적정한 재원을 확보하기가 어렵다. 이에 수도요금의 현실화는 물 수요 관리를 위한 정책 수립과 수돗물 품질 향상을 위한 시발점이라 할 수 있다.

지역별 수도서비스와 수도요금은 지리적 여건이나 수원확보 여부 등에 따라 보급률, 요금수준 차이가 발생한다. 이러한 문제점을 해결하기 위해 원가 시스템 재조정과 수도 사업 통합을 통해 사회 전 계층의 동등한 요금수준의 서비스와 누진체계 개선, 지역 간 형평성 추구를 위해 노력해야 한다.

안심하고 마실 수 있는 수돗물을 생산하고 공급하기 위해 정부와 지자체가 들이는 노력은 상당하다. 한국의 수돗물은 세계보건기구 WHO가 권장하는 검사항목인 163개 항목보다 약 90여 개가 더 많은 250개 항목의 수질검사를 거친다. UN이 측정한 국가별 수질지수에서 상위권인 8위를 차지하는 품질 좋은 물이 우리나라의 수돗물이다.

4) 물 민영화와 공공재

이명박 정부 이후 '수돗물 고급화 전략', '세계 10대 물기업으로 육성' 등 정부와 지자체에서는 수돗물 민영화를 위한 정책을 꾸준히 추진하고 있다.

서울시는 2013년까지 강북 아리수정수센터와 영등포 아리수정수센터 등에 고도 정수처리시스템 도입을 진행하고 있으며, 중국에 수출을 한다며 아리수의 상표권을 등록하는 등 벌써부터 병입 수돗물 판매에 열을 올리고 있다. 환경부도 지방자치단체의 요구와 전경련

의 수돗물 재처리를 통한 영리행위 허가 요청에 수돗물을 판매 허용
할 계획을 추진하고 있다.

대기업의 수도 사업 진출 의도는 수돗물만이 아니라 상하수도 관
망 공사부터, 정수장 건설과 개보수 등 수돗물 관련 산업은 현재도
매년 수 조원대 공사가 매년 이루어진다. 최근에는 단순히 공사 수주
만이 아니라 상하수도를 직접 운영하면서 좀 더 큰 규모의 물 시장을
만들어 보려는 시도들이 눈에 띈다.

코오롱은 중국회사와 합작법인을 설립하고 상하수도관 생산공장
도 대규모로 증축하는 등 그룹의 운명을 물 시장에서 찾겠다는 것이
코오롱의 비전이다. 삼성엔지니어링은 프랑스 물 판매 업체인 베올
리아사와 합작사를 설립했으며, 두산중공업도 해수담수화 등 물 산
업에 명운을 걸고 있으며, 웅진코웨이도 정수 및 상하수도 처리 분양
진출을 선언했다. GS건설은 지하수 정화사업에 진출했고, 태영건설
역시 물산업전략팀을 신설하는 등 대기업 진출이 이미 활발하게 진
행되고 있다.

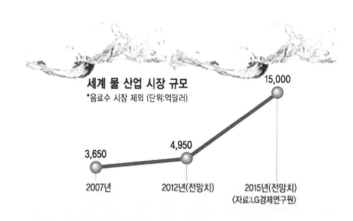

세계 물 산업 시장 규모
*음료수 시장 제외 (단위:억달러)

15,000

4,950

3,650

2007년　　　2012년(전망치)　　　2015년(전망치)
　　　　　　　　　　　　　　　　(자료:LG경제연구원)

세계 물 시장 규모가 급성장하고 있는 상황에서 물산업을 확장하려는 정부와 지자체의 노력을 인정한다. 하지만 하수도의 기반시설 설치 운영에 대해 민영화하는 것에 대해서는 사회적 합의를 도출할 수 있으나, 수돗물, 먹는 물을 민영화하겠다는 것은 세계적인 흐름에도 부합하지 않고, 물민주주의와 물복지에도 적합하지 않다. 또한 세계 어느 곳에서도 정부가 직접 앞장서 수돗물을 상품화하여 병입판매하라고 권유하는 나라는 없다. 현행 수도법은 수돗물을 용기에 넣어 팔 수 없도록 하고 있다. 정부가 추정하는 병입(병에 넣은) 수돗물은 일반수돗물 생산원가의 약 82배, 판매가격의 약 238배가 비싸다.

외국의 경우도 필수 불가결할 경우에만 병입 수돗물을 사용하고 있다. 미국의 경우 병입수를 이용하는 상황은 농약으로 또는 하수로 오염된 지역 등 필요악의 여건일 경우이다. 일본도 병입수돗물의 판매를 비상용으로 부득이 한 경우에만 판매하고 있는 실정이다. 유럽은 공공재의 페트병 판매를 금지하고 있다.

병입 수돗물의 문제점은 첫째, 수돗물 불신만 가중되고 비용의 상승만 불러온다. 일반 수돗물과 다르게 병입 수돗물은 일반 수돗물이 거치는 정수과정을 마친 후 한 번 더 활성탄을 이용한 고도정수 과정을 거치며, 소독 시에도 일반 수돗물과는 다른 특수 염소 화학처리를 하게 된다. 이러한 과정을 거치는 서울시 아리수 생산원가는 1톤을 기준으로 5만 7815원으로 일반수돗물 (전국평균) 704원보다 무려 82배 이상 차이가 난다. 그리고 고도정수처리 시설의 건설비와 감가상각비를 합하면 생산원가의 차이는 더욱 클 수밖에 없다.

둘째, 수돗물 양극화가 발생한다. 일반 수돗물에 문제가 인식된 이상 돈 있는 사람들은 일반 수돗물을 사용하는 대신 병입 수돗물을 사용할 것이고, 결국 돈 없는 사람들은 일반 정수가 된 물을 사용하는 상황이 발생한다는 것이다.

셋째, 일반수도시설이 방치될 가능성이 높다. 병입 수돗물을 본격적으로 허용해 생수판매를 할 경우 지자체나 민간위탁된 수도사업소는 일반 수도망에 대한 투자를 하기보다는 이익을 낼 수 있는 병입 수돗물 생산 시설에 대규모 투자를 하는 것이 효율적이기 때문이다. 결국 일반 수도망은 방치가 될 것이고 돈 없는 국민들의 경우 일명 저질 수돗물을 이용할 수밖에 없을 것이다.

넷째, 병입 수돗물 안정성 문제이다. 현재 병입 수돗물은 안정성이 확인되지 않았다. 생수와 달리 병입 수돗물은 여러 화학약품처리 과정이 추가되는데 플라스틱 용기 반응 가능성이 이미 지적되었다. 또한 전문가들은 병입 수돗물로 인해 발생되는 폐기물, 운반시설, 운반에 소요되는 비용을 생각하면 에너지 절약의 측면에서도 병입 수돗물 판매는 바람직 않다.

다섯째, 거대 음료회사만 배불리는 것이다. 병입 수돗물판매는 향후 민간기업이 수돗물을 이용해 좀 더 많은 수익을 올릴 수 있도록 허용하는 수돗물 민영화를 위한 사전포석이다. 즉 상수도 민영화를 위한 정부의 또 다른 정책 중 하나이다.

전문가들은 물산업을 민영화하면 수도요금이 인상되고, 독점현상, 자본의 의한 폐해, 상수도 노후관망 교체 및 보급률 확대 등의 투자가 적어질 것이며, 상수도공무원들의 고용이 불안해지는 등의 많은 문제점을 예상하고 있다.

5) 해수담수화

국토교통부는 〈2016년 국토부 업무계획〉에서 해수담수를 7대 신산업으로 선정하고 "안정적인 공업용수 공급이 가능하도록 바닷가 근처의 산업단지에 중대형 해수담수화 플랜트를 선도적으로 설치하고, 집중적 R&D를 통해 세계 최고수준의 기술을 확보하여 해외시장 진출도 적극 도모할 계획"이라고 밝혔다.

그러나 국토부의 해수담수화 사업 추진에 대해서는 여러 가지 문제점이 있다.

첫째, 부산 기장 해수담수화 시설이 초기에는 공업용수 공급으로 테스트베드로 준비되었다가 수돗물로 전환하면서 사회적 갈등과 시민의 건강과 안전, 물민주주의 문제로 확대된 경우가 있다. 만약 사회적 필요성, 경제성, 생태성을 고려하지 않은 해수 담수를 전국적으로 확대해 수돗물로 사용하려고 한다면 이는 시민의 동의를 거치지 않은 행정폭력이다.

둘째, 담수화된 해수를 공업용수로 사용하는것 또한 적절하지 않은 정책이다. 포항시가 2014년 8월 하수처리수 재이용을 위한 전처리분리막과 역삼투압(RO) 공정 등 최첨단 수처리시설을 완공해 세계 최대 규모(일일 10만 t)의 하수처리수를 포스코, 철강공단 등 기업체에 공업용수로 공급하고 있는 예에서 보듯이 한국사회에서 하수처리수의 재이용은 물 수급의 지역적 불균형 완화, 오염부하량 저감에 따른 하천수질개선, 저렴한 공급비용, 건천화된 도심하천의 수생태계 회복 및 친수공간 조성 등으로 가장 현실적인 새로운 용수공급원으로 주목을 받고 있다. 환경부는 '물의 재이용 촉진 및 지원에 관한 법률'에 근거해 매년 66억 4,000만 톤 규모의 하수처리장에 1조 5,000억 원을 투자해 연간 4억 4,000만 톤 규모 공업용수를 공급한다는 계획이다.

국토부의 해수담수화 사업과 환경부의 하수처리수 재활용 지역은 지리적으로 비슷한 해안가 공단에 자리 잡고 있는 상황에서 국토부가 해수담수화 정책을 대대적으로 추진하는 것은 국가적 차원에서 수자원의 충돌로 재정 낭비를 초래할 수 있다. 이러한 문제점이 있음에도 불구하고 국토부가 해수 담수화 시설을 강행하는 것은 '두산중공업'이라는 대기업에게 내수시장을 밀어주기 위한 '대기업 특혜정책이자, 나쁜 정책'이라고 의심을 살 수밖에 없다.

국가가 공익을 위해 시도하는 것이 아니라, '특정 대기업'이 주도하는 나쁜 정책이 향후 물민영화라는 최악의 정책으로 나아가지 않을까 우려스럽다. 더구나 두산중공업이 보유하고 있는 해수담수화 기술이 '스마트원전'과 한 몸으로 추진된다면, 그 위험부담은 오롯이 시민의 몫이 된다. 스마트원전은 인구 10만 명 정도의 소규모 도시에 전력을 공급하고 해수담수화를 동시에 추진하는 사업이기에 전 국토 해안에 중소규모 원전이 무분별하게 들어서는 최악의 국토난개발이 될 수밖에 없다.

6) 녹조문제

낙동강 유해조류 대발생은 부영양화된 수역에서 미생물, 균류의 종다양성이 깨어지고 1종 또는 적은 수의 남조류가 우점하여 대량증식하는 현상이다. 이는 과거와 같이 부산, 경남 하류 일부에 국한되는 것이 아니라 8개 대형보로 동시다발적으로 유해조류가 대발생한 것이며, 이로 인해 사람 및 가축 건강손상, 악취발생, 용수기능 저하로 이어지고, 향후 먹이사슬 파괴, 보로 인한 서식처 이동 불능, 어류. 가축 폐사 등 수생태계 파괴로 이어진다.

더 위험한 것은 유해독성조류 남조류가 바다로 배출되는 것이 아니라 대형보로 인해 대량 증식한 남조류가 저층에 축적되어 2.3차 분해로 독성이 다시 발생하고, 남조류의 분해동안 수중 용존산소 감소로 인한 물고기 및 수중생물이 폐사한다는 사실이다.

또한 남조류 폐사로 인해 강 바닥이 뻘층으로 변해 조류 사체가 부패하는 과정에서 수질악화가 더 심해질 수밖에 없다. 팔당댐 수질개선을 위해 지난 10년간 몇 번씩이나 준설계획을 수립하였으나 저층 뻘층으로 인한 2차 오염우려 때문에 중단된 사례를 보듯이, 유해조류 대발생은 폭염에 의한 일시적인 현상이 아니라 4대강 사업때문임이 분명하며, 이러한 문제는 지속적으로 악순환 될 것이다.

현재 녹조는 일시적인 현상이 아니다. 4대강 사업 대형보 설치로 흐르는 강이 아니라 호소화되었고, 남조류 대량번식에 적합한 유속 정체, 대량증식한 조류의 2.3차 분해로 인한 수생태계 파괴, 준설과 수변 습지의 훼손으로 정화능력 상실, 먹는 물 독성발생위험 등 낙동강을 회복할 수 없는 죽음의 강으로 전락시킬 것이다.

유해조류 대 발생으로 인한 microcystin(마이크로시스틴. 호소湖沼) 등의 부영양화로 이상 발생하는 시아노박테리아류(파래)가 생산하는 유독화합물의 일종)은 일반적인 정수처리기술인 응집-침전-여과-소독과정으로는 완전한 제거가 되지 않고 활성탄 흡착, 오존산화 등

의 고도정수처리기술로서 제거되지만 낙동강의 경우 고도처리시설
이 50%도 되지 않고, 과다염소처리로 인해 염소성분이 화학반응으로
발생하는 발암물질인 THM(트리할로메탄)이 발생한다. 정부는 트리할
로메탄은 끓이면 사라진다고 홍보하지만 오히려 수돗물을 끓이는 과
정에서 초기 30분은 트리할로메탄이 더 높아진다는 것이 최근 밝혀
졌다. 심지어 2017년 10월 19일 경향신문의 보도에 따르면 최근 수자
원공사가 4대강 사업에 관하여 스스로 문제점이 있음을 인정했다는
기사가 나왔다. 경향신문은 다음과 같이 보도하고 있다.

국회 국토교통위원회 소속 안호영 더불어민주당 의원이 19일 공
개한 수자원공사의 국정기획자문위원회 업무보고 자료를 보면, 수자
원공사는 4대강 사업을 주요 정책으로 보고하며 "수량 확보, 홍수 방
지, 인공경관 가치에 치중하다보니 짧은 사업 기간과 경험 부족 등으
로 수질 및 하천생태 등 사회적 논란이 지속됐다"고 밝혔다. 이 업무
보고는 수공이 지난 5월 국정기획위에 제출한 것이다. 수공은 업무
보고를 통해 4대강 사업 수행기관으로서 국가 물 관리에 국민적 심
려를 끼친 것에 대해 반성의 뜻을 밝혔다. 단기간에 대규모 건설이
이뤄지다보니 보 안전성에 대한 우려가 초래됐고, 사전 수요 예측이
부족해 용수 추가 확보에도 보 용수 활용도가 저하됐으며 수질에 대
한 사전조사 및 데이터 분석 부족으로 녹조 발생을 예견하지 못해 적
정대응이 미흡했다고도 시인했다. "사업 당시 수량 부족으로 하천사
업이 필요한 수계에 우선 적용해 검증 후 추후사업을 결정하는 방안
이 합리적"이었다는 것이다.

이제 국가는 독성조류 대 발생. 남조류에 대한 즉각적인 대책 수

립, 보 개방 필요하다.

7) 낙동강 수질과 유해화학물질

상상하기 어렵겠지만 낙동강 권역의 대구와 동부경남, 부산, 울산의 먹는 물의 현황은 국가가 안전하고 맑은 원수 정책을 포기한 것이나 다름없다.

팔당댐, 대청댐, 섬진강댐, 용담댐, 주암댐 등 서울경기, 충청, 전라권의 시민들은 수돗물 원수를 대부분 댐 용수를 사용하고 있으나, 경상도권의 대구의 74%, 부산의 94%가 낙동강 중하류 표류수를 원수로 사용하고 있다. 낙동강의 경우 1991년 두산 페놀유출사태 이후 수조원의 예산으로 수질을 개선하여 낙동강 표류수를 수돗물 원수로 사용하고 있다. 하지만 4대강 사업이후 낙동강 중하류 수질은 BOD(Biochemical oxygen demand의 약자로 물 속에 있는 유기물을 측정함으로써 오염물질을 정화시키기 위해 필요한 산소의 양을 알아보는 지표로 생화학적산소요구량이라한다.) 기준 3급수 정도이고, COD(chemical oxygen demand의 약자로 BOD와 마찬가지로 물의 오염정도를 나타내는 기준으로 유기물의 오염물질을 산화제로 산화할 때 필요한 산소량으로 화학적산소요구량이라 한다.) 기준으로 4급수로 전락한 상태이다.

하지만 수돗물에 대한 안전성의 기준은 BOD, COD 만이 아니라, 난분해성 유해화학물질의 유입이 핵심이다. 팔당권의 경우 하이닉스 이천 공장 증설과정에서 팔당의 특정수질유해물질 유입문제로 허가가 나오지 않다가, '폐수를 최종 처리한 방류수를 하천이나 강 등 외부로 전혀 배출하지 않고 공장 안에서 재순환하거나 재활용하는 시스템'인 배출시설의 무방류 시스템을 전제로 2013년 전격 허용하였다.

낙동강의 경우에는 1960년 이후 경제개발 5개년 계획에 따라 구미, 대구 등 낙동강 중류권에 특정유해화학물질을 다루는 국가산업단지가 5개 이상 들어서면서 유해화학물질 유입으로 인한 수질 오염 사태가 심심치 않게 터져 나오고 있다. 이런 상황임에도 불구하고 국가가 국민의 안전하고 청정한 수돗물 문제를 해결하기 위한 노력은 소홀히 하고 있다 보니 부산경남, 대구권은 수돗물 직접 음용율은 1%가 되지 않는 등 수돗물 불신은 회복할 기미가 없다. 부산은 경남 지리산권에 댐 증설과 남강댐 용수를 통한 광역상수 취수원 이전에 목매달고 있으며, 대구는 구미 또는 안동댐으로 취수원이전, 포항·울산도 영천댐으로 취수원을 이전하려는 정책을 추진하는 등 낙동강의 수자원배분과 수돗물에 대한 정책이 지자체마다 제각각이어서 영남권의 수돗물 문제는 잠정적인 전쟁상태나 다름없다. 특히 부산은 낙동강 본류원수의 유해화학물질의 원천적 제거라는 우선 정책은 도외시한 채, 10년 이상 남강댐물, 지리산댐 광역상수도를 확보하려고 하지만, 지리산 환경파괴, 남강 건천화로 인한 본류 수질오염, 사천만 방수로 인한 어업 피해, 남강댐 재해위험, 경남도민 반대 등 여러 가지 문제가 중첩되면서 보다 바람직한 정책을 위한 사회적 합의의 공간은 더 멀어지고 있다.

먹는 물의 경우 인간과 생물이 누려야할 기본적인 권리임에도 불구하고, 국가와 부산시는 대형보로 인한 녹조범벅과 유해화학물질의 위험에 상시적으로 노출된 낙동강의 수질개선을 위한 노력은 내

팽개치고, 대규모 토목공사를 통한 댐 용수에 의존하고 있다. 이는 낙동강의 본류 수질과 수생태계를 개선하려는 노력을 포기한 것이나 다름없다.

협력과 협치가 혁신을 낳는다고 한다. 물민주주의와 물분권은 국가의 일방적 주도가 아니라 물이해당사자간의 협력과 협치가 필요하다. 국가와 행정부 주도의 대규모 시설을 통한 공급위주의 먹는 물 정책의 한계가 드러난 지는 오래 전이다. 21C 세계사적 흐름과 시대정신에 부합하는 먹는 물과 수자원, 수질과 수생태 정책에 대한 혁신과 패러다임 전환이 필요하다.

혁신의 시작은 수질과 수생태계의 평형이 무너져 어떤 상태로 진행될지 모르는 낙동강의 하굿둑과 대형보를 개방해 생명의 강이 흐르게 하는 것으로 시작해서 난분해성 유해화학물질을 제거하기 위한 특별대책 수립, 특별법을 제정하여야 한다.

5. 문재인 정부 물정책 제안 : 국민의 신뢰를 받는 물정책을 바란다

1) 물정책 방향의 근본적인 전환 필수

물은 생명의 근원이며, 예로부터 우리나라는 치수를 국가정책의 가장 중요한 부분이었다. 우리는 그동안 우리나라는 물개발의 가장 성공적인 나라로 자랑해왔다. 우리나라의 산업화와 도시화는 하천을 정비하고, 댐을 건설하고 상하수도를 보급할 수 있었기에 가능했다. 국가하천의 정비율은 거의 100%에 가깝고, 거의 모든 국민이 안전한 식수공급과 하수처리 혜택을 받고 있다.

지금까지 우리나라 물 정책은 공급 중심, 인간 중심에 무게를 두었다. 앞만 보고 달려온 개발일변도의 물정책은 하천의 건천화, 지하수의 고갈, 물환경의 악화 등의 문제를 일으켰다. 더욱이 전 세계적으로 심각해지는 기후변화와 지역적인 강우패턴의 변동 등은 우리나라 물 정책에 새로운 도전이 되고 있다. 지금은 시설의 확장, 인간의 편의만을 고려할 것이 아니라, 인간과 자연의 공생, 자연 본래의 물 순환과 조화되는 물 정책의 근간을 세우고 개혁해야 할 시점이다. 물의 세기라는 21세기에 대비하기 위해 국가차원의 목표와 방향을 추진해가기 위한 비전과 로드맵의 설정도 시급하다. 부처나 기관, 정권의 이해관계에 매몰되어 이루어진 4대강 사업과 향후 추진될 물 산업 분야 비전 또한 새로운 틀에서 점검되어야 한다. 국민은 언제나 그렇듯 안전하고 건강하게 즐길 수 있는 물을 기대한다.

2) 물관리일원화와 물기본법의 제정

2017년 5월 22일 문재인 대통령은 업무지시 7호로 4대강 보 개방과 조사위원회 구성, 국토교통부에서 맡던 물관리 업무를 환경부로 일원화되는 정책을 지시하였다. 물관리일원화는 5천여명의 수자원 관련 전문인력과 5조원 이상의 예산이 일원화되어 '지속가능한 통합 물관리'라는 새로운 역사적 지평을 여는 것이다.

수량과 수질 관리 일원화는 지난 20년간 학계나 전문가들 사이에 필요성을 놓고는 한목소리였다. 2005년 10월 19일 제67회 청와대 국정과제 회의로 '지속가능한 물관리정책'을 개최하여 국가차원의 물관리 비전 및 전략수립 필요성에 부합한 '물관리기본법' 제정과 물관리 일원화 추진을 결의한 적도 있다.

과거 공급 중심의 분산된 물관리에서 유역과 수질, 수생태계를 중심으로 하는 환경관리 부서로 일원화하는 것은 세계적인 선진국의 추세이며, 선진 물관리는 견제와 균형이 아닌 통합과 협력을 기반으로 하고 있다. 4차 산업혁명시기에 토목과 공급 중심으로 갈 수는 없다.

OECD는 2008년 이후 지속적으로 통합을 권고하였고, 35개 회원국 중 23개국의 환경부서가 물관리 업무를 통합하고 있다. 이제 공급 중심의 물관리에서 통합과 협력을 기반으로 독립적인 재원확보를 통한 유역거버넌스로 정착되어야 한다.

지속가능한 통합물관리는 새로운 대한민국 촛불광장의 요구이고, 국가의 의무이다. 현재 대한민국의 강은 물고기 폐사, 수질악화, 녹조문제와 취수원 이전을 둘러싼 지역 간 갈등 등 물문제를 둘러싼 사회적, 지역적 갈등으로 심각한 상황이다. 그러나 이러한 문제를 책임지고 해결할 국가의 컨트롤 타워가 없어, 명확한 의사결정 구조도 없고 부처마다 각각 다른 방향으로 정책을 추진하고 있어서 사업과 예산의 중복과 비효율이 심각하다. 이렇듯 수량관리와 수질관리로 이원화 된 낙후된 물관리체계로 통합적인 물관리 정책 추진이 곤란하다. 이제는 부처 이기주의를 넘어 개발과 환경을 통합하는 지속가능한 관점의 물관리가 필요하다

물관리 일원화 정책은 지금도 늦었다. 대부분의 선진국은 상수도 보급률이 30%일 때 물관리 담당 부처가 개발부서에서 환경부로 넘어갔다. 상수도 보급률이 98%에 달하는 한국은 물관리 일원화를 위

한 기반 조건은 충분히 갖추었다. 선진국은 물론 동남아 등 개도국에서도 이미 물관리 일원화가 이루어져 있는 상황에서 선진국을 지향하고 있는 한국이 물관리의 후진성을 면치 못하고 있는 것은 국가적인 측면에서도, 자원확보, 환경보호 측면에서도 바람직하지 못하다.

물관리일원화 필요성 중의 하나인 국토부와 환경부의 사업 중복에 따른 예산낭비의 비효율성은 심각하다. 2014년 10월 감사원 감사결과 상수도 과잉투자로 이용율이 60% 밖에 되지 않아 4조원이 낭비된다고 밝혔다. 또한 국토부 생태하천사업, 환경부 생태하천복원사업, 행안부 재해하천사업, 산림청의 계곡 사방사업 등 유사한 사업이 2조원에 달한다. 또한 국토부와 환경부의 LID(저영향개발)사업과 비점오염원 관리사업, 해수담수와 하수처리수 재이용사업, 수질수량 모니터링 정보시스템 통합 등 두 부처의 중복사업에 대한 재정과 인력의 조정을 통해 수조원의 재정 효율로 노후 상수관 교체 및 물복지사업이 가능하고, 남는 인력은 유역과 분권을 강화하는 유역위원회로 가야한다.

물관리일원화 이후 대한민국은 광역상수와 지방상수 통합, 안전하고 깨끗한 수돗물을 넘어 맛있는 수돗물 공급, 농업용수와 상하수도 통합, 각종 연구기관 전문화 및 일원화, 기후변화 적응강화, 지역간 균형 물공급체계 구축, 도랑에서 (계곡, 소하천, 지방하천을 거쳐) 하구까지 통합관리하는 지속가능한 국토환경관리 시스템을 구축할 것이다. 통합물관리를 통해 물하천 관련 예산과 행정의 낭비를 방지하고, 40여개에 이르는 물관련 계획을 정비함으로써 유역통합관리체계 도입과 물관리 일원화로 물정책의 패러다임을 전환하는 것이

문재인 정부의 '적폐를 청산하고 정의로운 대한민국'을 세우겠다는
국정철학을 구현하는 것이다.

3) 물갈등 해소와 물거버넌스 구축 : 취수부담금제 도입과 유역위
원회설치

우리사회의 물 갈등은 수량이 부족해서 생기거나 수질오염이 크
게 심각하여 발생하여 생긴 문제보다는 제도적인 결함으로 인해 생
긴 갈등이 대부분이다. 수리권 갈등이 그렇고, 부산·경남의 문제가
그렇다.

댐용수 사용료를 둘러싸고, 강원도, 경기도, 서울시가 한국수자
원공사와 심각한 갈등을 빚고 있다. 지방자치단체들은 법원의 판정
에 불복하고 수리권제도 자체의 개편을 주장하고 있다. 공공기관 간
에 소송이 이어지고, 갈등이 지속되는 것은 국민에게 혼란을 일으키
고 세금과 국력의 낭비를 초래한다. 이러한 갈등의 원인은 수리권 제
도가 현실의 물관리에 맞게 개편되지 못했기 때문이다. 댐용수를 둘
러싼 갈등을 해소하기 위해서는 수리권제도를 개편해야 한다. 댐용
수 사용료 외에도 물이용부담금을 둘러싸고, 환경부와 지방자치단체
가 갈등하고 있고, 하천관리를 둘러싸고 국토해양부와 지방자치단체
가 갈등을 빚고 있다. 중앙정부와 지방자치단체의 역할분담과 책임
의 범위가 합리적으로 설정되어야 한다. 많은 전문가들은 그동안 물
값과 수리권문제에 대한 해결방안으로 통합적인 취수부담금제의 도
입과 유역통합관리기구의 설치에 대해서 제안해 왔다.

부산시와 경남도, 수자원공사가 갈등을 빚고 있는 부산지역의 식

수공급문제의 해결을 위해서는 상하류 간의 공생을 위한 노력이 이루어져야 하고, 유역내의 지자체간 소통과 합의를 위한 유역위원회와 같은 기구가 필요하다.

4) 물 격차 해소, 물 사업 정책의 평가 그리고 물 복지 실현

기존 정부들은 물정책의 미래 비전으로 물 산업 육성 정책을 적극적으로 추진해 왔다. 21세기는 세계적으로 물문제가 가장 큰 이슈가 될 것이고, 물 부족과 수해가 심각해질 것이므로 세계 물시장이 크게 확대될 것이고, 이러한 물 시장을 선점하기 위해서 세계적인 물 기업을 육성해야한다는 것이 그 주요한 취지였다. 이를 위해 국내에서는 수도사업의 구조개편을 추구하였으며, 이로 인해 민영화 논란을 낳기도 하였다.

앞으로 물 분야에서 새로운 투자가 필요하다는 점과 다양한 수요가 발생하는 지역이 대부분 국내적으로는 농어촌지역이고, 대외적으로는 개도국이라는 점에서 기존의 우리의 물 산업 육성 정책은 한계가 있다. 우리의 물관련 중소기업과 물 산업 생태계도 살릴 수 있는 새로운 물 정책을 고민해야 한다. 그런 의미에서 물 산업보다는 물 복지라는 차원에서 국내와 국외의 물 문제 해결에 접근해야 한다. 또, 세계적인 물 기업 육성보다는 다양한 물 관련 중소기업을 육성하고 일자리를 창출할 수 있는 건전한 물 산업 생태계를 어떻게 만들어낼 것인가에 더 관심을 기울여야 한다. 세계 물산업의 선두주자인 대규모 물 기업들인 극구 물산업과 물시장이라는 용어를 피하면서, 왜 세계물포럼이나 물 파트너쉽을 적극적으로 후원하고 활용하는지를 따져보아야 한다. 공급자의 관점이 아니라 수요자 혹은 주민의 관점에서 국내의 물 격차를 해소하고 국제적인 물 문제를 해결하려는 접근 속에서 우리의 물산업의 미래를 찾아야 한다.

5) 물 재난에 강한 물 순환 사회

기존의 기후변화에 대한 국내의 물 관리 대응이 다른 선진국과 크게 달랐던 점은 외국의 선진국들이 기존의 물관리 패러다임을 전면적으로 전환하는 방향으로 대응하고 있는 반면, 우리나라는 기존의 접근방식을 강화하는 방식으로 대응해 왔다는 점이다.

선진국들이 100년 빈도의 가뭄까지는 댐을 건설하고 하천을 정비하는 식의 구조적인 방법으로 해결을 하였지만, 그 이상의 극단적인 물재해에 대해서는 "홍수와 더불어 살기(Living with floods)", "물에 더 많은 공간을(More room for water)"이라는 슬로건으로 대표되는 새로운 대응방식을 추진하였듯이 우리의 물 관리 정책도 전면적인 전환을 모색해야 한다. 이러한 물 관리 정책의 전면적인 전환을 가로막고 있는 가장 큰 요인 중의 하나가 개발부처와 환경부처로 분리되어 있는 물관리체계이다. 개발을 담당하는 부서는 어떠한 상황에서도, 하나의 수자원시설이라도 더 건설하기 위해 전력할 수밖에 없고, 환경부서는 이에 대한 실효성 있는 규제를 할 수 없는 것이 오늘 우리 물관리정책의 현실이다. 물관리체계 개편을 물정책의 가장 중요한 의제로 제시하고 있는 이유가 바로 여기에 있다.

기후변화로 인한 물재해에 접근하기 위한 새로운 접근은 바로 물순환의 건전성을 회복하여, 재해에 강한 물순환 시스템을 구축하는 것이다. 홍수위험과 홍수대책을 유역에서 분담하고, 홍수 책임을 지방자치단체와 주민이 같이 지는 것이 기후변화에 강한 사회를 만드는 물관리 정책이다. 유역별로, 도시별로 물순환 관리계획을 수립하여야 한다. 물순환 기본계획에는 물과 하천의 관리뿐만 아니라 불투수층 비율 감소 등과 같은 토지이용계획, 나아가서는 종합적인 국토 이용계획이 고려되어야 한다. 전 지구적 기후변화에 따른 새로운 형태의 수해와 가뭄에 대비하여야 한다.

물순환에서 농업이 차지하는 역할과 기능에 대한 인식의 전환이 필요하다. 농업은 우리 역사, 문화, 사회, 경제의 근간이고, 농업용수는 농업에 생명을 불어넣는 핏줄과 같은 역할을 해왔다. 농업에 사용된 물은 지하수, 하천으로 흘러들어 지역 물순환 체계의 중요한 부분을 구성한다. 수질에 악영향을 미치는 경작행태와 무상으로 제공되는 농업용수의 공급방식은 개선되어야 하지만, 이것이 농업과 농업용수의 물순환에서의 역할과 순기능을 폄하하는 이유가 되어서는 안 된다. 농업용수의 다원적, 공익적 기능, 물순환에서의 가치를 재발견해야 한다. 하천과 농업, 인간이 지속가능하게 공존하기 위한 방안이 강구되어야 한다.

〈참조〉
1. 수돗물시민네트워크 홈페이지
2. 최동진 국토연구소 소장
3. 수자원공사 홈페이지
4. 먹는물시민네트워크 아카데미 자료

물과 방사능

●

노 태 민

1. 기장해수담수화의 수돗물의 문제는 핵발전의 문제

2017년 6월 18일, 국내에 가동 중인 핵발전소 25기 중 부산에 위치한 고리 1호기가 처음으로 영구정지 상태에 들어갔다. 18일 저녁 출력이 제로 상태가 되었고, 전력계통에서 분리되었다. 1978년 처음 가동되기 시작한 국내 첫 상업핵발전소이자, 현재 가장 노후한 핵발전소는 이제 퇴역을 준비하고 있다.

고리 1호기의 영구정지는 탈핵의 시작을 알리는 상징적인 사건이다. 3.11 후쿠시마 핵발전소 사고 이후, 한국의 탈핵운동은 급격히 대중화되었다. 전국곳곳에서 핵발전소에 반대하는 선언이 이어졌고, 반핵을 선언하는 단체들이 생겨났고, 반핵캠페인들이 수도 없이 일어났다. 그 중 부산은 탈핵운동의 수도라고 불릴 만큼 강하고 다양한 저항이 일어났다. 그 힘으로 고리 1호기는 영구정지 되었다.

하지만, 시작이라는 것은 해결되지 않은 과제가 많이 남아 있음을 의미한다. 고리 1호기는 가동중단 이후에 어떻게 해체할 것인지에 대해 답을 찾고 있는 중이며, 기술적 해답을 찾지 못한 사용 후 핵연료의 처분 문제도 남아 있다. 국내에는 지금도 24기의 원전이 가동 중이며, 5개의 원전이 건설 중이다. 사용 후 핵연료를 비롯한 핵폐기물은 지금도 계속해서 쌓이고 있다.

부산은 핵발전의 도시다. 부산에 위치한 고리핵발전소 1기가 가동을 중단했지만, 신고리 5,6호기의 건설승인으로 전세계에 유래를 찾아볼 수 없는 핵발전소 밀집지역이 되어 핵사고의 위험이 더 커졌을 뿐만 아니라 핵발전소 주변 인구밀집도 세계최대라 이에 따른 방재대책도 사실상 없는 상황이다. 게다가 지진의 위험이 지금까지 과소평가 되었던 것으로 밝혀져, 그 불안은 더 커지고 있다. 사고뿐만 아니라 일상적인 방사능 유출의 문제도 심각하다. 핵발전소의 문제는 부산 지역사회의 으뜸가는 문제다.

기장해수담수화 수돗물공급을 둘러싼 일련의 사건들은 핵발전소가 구체적이고 실제적인 위협으로 다가오는 하나의 계기가 되었다. 핵발전은 사고가 났을 때뿐만 아니라 일상적으로 위험하다는 점, 핵발전이 지방자치와 민주주의의 문제와 직결되어 있다는 점은 특히 중요하다.

2. 일상적으로 유출되고 있는 방사능의 위험

2014년에 처음 기장에 해수담수 수돗물 공급된다는 이야기가 돌기 시작했을 때만 해도, 주민들의 걱정은 후쿠시마에서 대량으로 방출되고 있는 방사능이었다. 고리에 있는 핵발전소는 안전한 것이라 여겼다. 실제로 방사능이 일상적으로 유출되고 있다는 것이 공식적으로 드러난 것은 오래지 않았다.

고체상태의 핵폐기물이 만들어지고 있다는 것은 이미 알고 있는 바이다. 2016년 4분기에 국내 주요 부지에서 발생한 중저준위 폐기물은 969.6톤[1]이며, 이는 경주 방폐장으로 옮겨진다. 경주방폐장으로 옮겨지는 것은 비교적 덜 위험한 폐기물이다. 그리고 가장 위험한 고준위 핵폐기물은 현재 13,811톤[2]이 갈 곳을 찾지 못하고 발전소 부지에 임시 저장중이다. 소위 사용 후 핵연료인 고준위 핵폐기물은 전 세계적으로도 확실한 해결방법이 없다. 하지만 이런 폐기물 외에도 일상적으로 방사능이 액체기체상태로 배출된다. 이 사실이 공식적으로 회자된 것은 2014년도 국정감사에서였는데, 2004년부터 2013년까지 10년간 핵발전소에서 액체와 기체상태로 배출되는 방사능은 5900조 베크렐이었다.[3] 한수원이 홈페이지를 통해 밝혀왔던 방출량의 10만배에 해당하는 수치였다. 국정감사에서는 고리원전에서만 32개월간 131조 베크렐이 방출되고 있는 것으로 알려졌다. 베크렐(Bq)은 방사능 활동량을 나타내는 단위로 1초에 방사성 붕괴가 1번 일어날 때 1 베크렐이라고 부른다.

기장주민들은 기장해수담수에 반대하면서 고리 핵발전소의 문제가 더 심각하다는 점을 발견했다. 후쿠시마로부터 시작한 방사능에 대한 관심은 고리로 눈을 돌리게 했고, 앞바다의 물과 공기가 결코 안전하지 않다는 것을 확인했다. 비슷한 시기에 흔히 균도소송으로 알려진 소송이 진행되고 있었는데, 핵발전소 인근에 있는 고소인의 갑상선암은 발전소에 배상책임이 있다는 판결이 내려졌다. 법원이 일상적으로 배출되는 방사능이 주민들 건강에 악영향을 미치고 있다는 사실을 인정한 것이다. 기장주민들은 기장 앞바다의 물을 식수로 사용하는 데 반대했다. 핵발전소로부터 나온 각종 방사능 물질이 기장 앞바다에 퍼져 있을 것이며, 고리핵발전소로부터 불과 11km떨어진 곳에서 퍼 올려 주민들에게 공급한다는 것은 받아들일 수가 없었다. 아무리 적은 양이라고 할지라도 일상적, 지속적으로 음용했을 때에는, 내부피폭으로 인한 피해가 더 클 수밖에 없다. 그렇게 해서, 핵발전을 반대하는 탈핵운동과 기장의 주민운동은 만나게 되었다.

3. 핵발전소 사고에 대한 위험

일상적인 방사능의 유출도 문제지만, 핵발전소에서 발생할 수 있는 사고에 대한 두려움도 매우 크다. 핵발전소가 안전하다는 신화는 후쿠시마 사고를 통해 산산히 부서졌다. 그리고 크고 작은 예기치 않은 사고와, 건설과 운영과정에서의 비리, 그것을 은폐하는 사업자의 태도는 그 불안을 더욱 키웠다. 사고와 핵발전소의 도시 부산도 후쿠시마의 전철을 밟지 않는다는 보장은 없었다.

국제원자력기구(IAEA)는 사고등급을 총 7단계로 나눈다. 이중 대량의 방사능이 유출된 사고를 대형사고라고 부르는데, 2011년 후쿠시마와 1986년 체르노빌에서 일어난 사고가 여기에 속한다. 중대한 사고는 다른 잦은 고장에 비해 확률은 낮지만, 한번 일어날 경우에는 생명체와 생태계에 상상할 수 없는 심각한 피해를 일으킨다. 체르노빌 사고 이후에 반경 30㎞ 이내의 땅은 30년이 지난 지금도 사람이 살 수 없는 땅이 되었고, 2011년 후쿠시마 사고는 막대한 자원을 쏟아 부었음에도 현재까지도 수습을 하지 못하고 있다.

사고의 원인도 여러 가지여서, 기계적인 결함뿐만 아니라, 조작실수, 자연재해가 대형사고로 이어졌다. 최근에만 하더라도 격납철판의 부식, 외벽콘트리트에 구멍이 발견되는 등의 문제, 기계적으로 민감한 증기발생기 안에 망치가 방치되었던 문제 등이 수다하게 있었다. 심지어 이런 문제들이 오래 동안 방치되거나, 은폐를 시도하다 뒤늦게 알려지는 일이 종종 있었다. 또 2014년도에는 대대적인 권력형 원전비리가 드러났으며, 신고리 3,4호기 건설과정에서 시험성적서가 조작된 가짜 부품이 공급되었다는 용납하기 힘든 뉴스들이 들려오기도 했다.

자연재해로부터 안전하지도 않았다. 2014년 8월에는 시간당 117㎜의 강우에 시설이 침수되어 순환펌프 가동중단 및 전력공급 중단사고 등이 일어나기도 했지만, 가장 결정적인 위험은 2016년 9월의 5.1, 5.8 규모의 지진이었다. 시민들은 계기기록상 전례 없는 지진에 놀라기도 했지만, 시선은 고리핵발전소를 향했다. 핵발전소는 안전한가라는 질문을 던지며, 핵발전소에 미칠 영향과 사고의 가능성에 촉각을 곤두세웠다. 이 과정에서 '한반도는 단층의 나라'라는 내용을 첫 문장으로 기록한 소방방재청의 보고서[4]가 은폐되었다는 사실이 밝혀졌고, 월성핵발전소와 고리핵발전소에 가까이 있는 양산단층과 일광단층이 활성단층이라는 점을 고의적으로 간과해 왔다는 점도 밝혀졌다. 지진의 원인인 단층의 존재와 위험성에 대한 은폐는 핵발전소를 짓기 위한 것이었으며, 이를 통해 2017년 6월에는 신고리 5,6호기 건설을 승인함으로써, 세계적으로 유래없는 핵발전 밀집지역이자 핵발전소 인근 최고의 인구밀집 지역을 만들어냈다. 승인과정에서 다수 발전소의 밀집은 자연재해뿐만 아니라 사고의 피해를 더 크게 만들 수 있다는 점은 간과되었다.

4. 재난에 대한 대비

핵발전소의 위험을 제거하는 가장 확실한 방법은 핵발전소를 제거하는 것이겠으나, 현실적으로 존재하는 핵발전소에 대한 대비를 하는 것도 빼놓을 수 없다. 방사능 방재는 '방사능 방재법'을 근거로 국가 방사능 방재계획을 수립하고, 매년 수립되는 국가방사능방재집행계획에 이어 지역방사능방재집행계획으로 구체화 된다. 방사능 방재에 대한 총괄은 원자력안전위원회가 맡게 되어있고, 실질적인 방재계획 및 예산집행은 원자력안전위원회와 사업자 그리고 지자체에서 담당한다. 하지만, 부산시의 경우 방재계획을 세우고 시민들의 안전을 위한 방재를 위해 재정투자되는 금액은 2016년 9억4천여만원, 2017년 11억여원에 불과하다.[5] 한수원의 방재예산도 25억원이나,[6] 발전소 내에 집중된다. 방사능 방재를 위한 부산시의 예산은 방사능

감시시스템을 보강, 매뉴얼 제작, 교육훈련 등에 사용되고는 있으나, 실질적인 효과나 체감이 부족하다는 시민들의 볼멘소리가 계속 터져 나오고 있는 중이다. 심지어 방재매뉴얼의 경우, 부산시는 이를 시민들에게 공개조차 하지 않아, 부실하다는 의혹을 계속 받고 있다.

이를테면 방사능이 유출되는 사고에 대비하기 위해서는 주민들의 소개에 대한 계획이 마련되어야 하는데, 주민들의 소개를 하기 위한 동선의 확보, 차량의 동원, 대피소의 마련, 방호물품의 공급이 그 내용에 포함되어야 한다. 하지만 형식적인 훈련을 제외하고는 그 내용이 주민들을 대상으로 교육이 진행되거나 매뉴얼이 배포되기는커녕, 그 내용에 대해서도 알려진 바가 없다. 애초에 30km 이내에 살고 있는 380만명의 인구를 대피시키는 것 자체가 불가능에 가깝기 때문에 손을 놓고 있다는 의심을 계속 받고 있는 것이다.

기본적인 대책을 마련한다고 하더라도, 재난에 대비한다는 것은 대단한 상상력을 필요로 하는 것이며 상당한 예측불가능성을 감수해야 한다. 예컨대 2016년 4월 일본의 구마모토 지진 당시, 구마모토시청의 재해대책본부를 구성하는 공무원들의 소집은 본진 이후 불과 1.8%에 불과했는데,[7] 이유는 공무원들이 대책을 가동하는 주체이면서, 동시에 지진의 피해자였기 때문이다. 재해대책계획이 실제로 잘 실행되지 않았다는 것을 추론할 수 있으며, 실제로 구마모토 시청에서도 그 어려움을 토로했다. 구마모토의 사례는 재난대비에 더 많은 자원이 투입되어야 한다는 점과 함께, 지방정부–주민 간의 협치가 이루어져야 한다는 점을 시사한다.

5. 핵발전과 민주주의

기장에서 일어난 주민투표의 일련의 과정은 주민자치의 훼손에 대응하는 주민들의 대응이었다. 대의민주주의를 채택하면서 정부가 행정을 담당하고, 의회가 그 견제를 맡게 되지만, 민주적인 정부라면 주민들의 자치를 일부러 훼손시켜서는 안되며, 주민의 결정권을 최대한 보장하는 선에서 그 행위가 이루어져야 한다. 하지만 기장해수 담수 수돗물의 공급시도는 주민들이 무엇을 먹을 것인지에 대한 결정권을 박탈하고, 주민 스스로의 생명과 안전에 대한 욕구를 무력화시키는 시도였다.

일상적, 비일상적 위험은 통제되어야 한다. 하지만 그 위험을 관이 일방적으로 통제해서는 안 된다. 국책사업이라는 명목아래 해수담수화 시설을 짓고, 이 물을 공급하겠다고 계획을 세운 순간부터, 주민은 빠지고 국가만 남았다. 정부는 이전에 있었던 무리한 중동지역 플랜트 수출 MOU 및 협약을 합리화시키고, 물산업 대외경쟁력 향상이라는 명목 하에 해수담수화사업을 확대하기 위한 시범사업[8]을 벌이는 과정에서, 부산시 기장군의 주민들에 대한 배제를 넘어, 주민들을 실험대상으로 삼은 것이었다.

이는 핵발전 산업이 주민들을 대하는 방식과 비슷한 모양을 띠고 있다. 국가는 핵이라는 에너지를 사용함으로서 국가적인 목표를 달성해왔을지는 모르나, 그 과정에서 주민에 대한 배제를 관철시켜왔다. 핵발전소를 설치하는 과정에서 전원개발촉진법 등으로 주민들의 배제를 합리화했고, 안전 혹은 안보와 관련된다는 이유로 경찰과 군대를 동원하는 등 주민들의 접근을 차단했다. 심지어 주민안전에 직결되는 정보조차 공개하지 않음으로써 민주주의를 심각하게 훼손했다. 핵발전은 국가의 전체주의적인 성격을 강화하기도 하고, 전체주의적인 국가는 핵발전을 하기에 적합한 구조를 가지고 있다.

핵발전정책과 기장해수담수화 수돗물 공급이 국가주도사업이라는 내재적인 유사성도 있지만, 부산시 특히 기장군이라는 핵발전소 주변지역이라는 사실도 고려되어야 한다. 사실 기장군이 아니라 다른 지역이었다면 해수담수화 수돗물 공급은 별다른 문제가 없었을 수도 있다. 하지만, 기장지역에서 핵발전산업이 사회경제문화적으로 지배력을 행사해오고 있었다는 사실로 인해, 정부는 만성화된 주민들의 저항에 대처하는 것에 자신감을 가졌을 수도 있다. 실제로 해당 지역의 주민들의 가장 큰 두려움은, 단지 그 대상이 정부여서가 아니라, 핵발전소 인접지역에 산다는 대가로 시혜를 베풀고 있는 주체였기 때문이었다.

6. 과제

주민투표로 드러난 당장의 과제는 기장해수담수 수돗물 공급계획의 전면 백지화이겠지만, 보다 근본적인 과제는 탈핵이다 수돗물 공급으로 재발견된 일상적, 비일상적 위험을 제거하고, 이를 회피하기 위한 방법은 핵발전소를 없애는 것이다. 이것은 민주주의를 복원하고, 지역사회를 사회답게 복원하는 방법이기도 하다.

당장 이슈화된 신고리 5,6호기의 중단부터 시작해, 노후하고 위험한 원전의 가동 중단, 신규원전 계획의 중단, 추가적인 핵시설 설치 불허, 가동 중인 핵발전소의 조기폐쇄, 원전해체기술 확보와 활용, 핵발전소에서 나오는 사용후 핵연료 처분을 재공론화를 통한 해법마련, 실효성 있는 방재계획 수립 등 탈핵의 과제들이 실현될 수 있도록 하는 것과 동시에, 재생에너지를 확충하는 등 에너지전환을 지역사회에서 어떻게 만들어낼 것인가는 구체적인 의제로 설정되어야 하는 시점이다.

부산시를 탈핵에너지전환의 도시로 만들겠다는 비전은 그 의제들을 이끌어 갈 것이다. 역설적이게도, 세계적인 핵발전소 밀집, 핵발전소 인근 인구밀집지역이라는 사실은 전세계가 주목하는 대표적인 에너지 전환을 이루어내기에 적합할지도 모른다. 마치 대중교통하면 꾸리지빠를 떠올리고, 협동조합 하면 볼로냐 등을 떠올리듯이, 부산하면 탈핵에너지전환을 떠올리게 하겠다는 포부가 필요하다. 핵발전의 문제는 과학기술의 문제가 아니라, 민주주의의 문제라는 점을 상기한다면, 탈핵에너지전환을 지역사회의 주요한 목표로 삼는데 조금도 어색하지 않다.

1. 방사성폐기물 안전관리 통합시스템, "2016년 4분기 부지별 중저준위폐기물 발생량"
2. 사용후핵연료공론화위원회(2015), "사용후핵연료 관리에 대한 최종권고안"
3. 미디어오늘(2014), 원전, 대기 · 바다에 몰래버린 방사능 '허용량의 1억배'
4. 소방방재청(2012), 활성단층지도 및 지진위험지도 제작
5. 부산시(2016), 2016년 부산광역시 방사능방재계획
6. 국회사무처(2013), 원자력안전확립을 위한 정책연구
7. 글로벌도시포럼(2016), 국제협력을 통한 지진안전관리 거버넌스 구축
8. 국토교통부(2016), 국토교통부 주요정책 추진계획

물과 민주주의-물의 공공성과 물민영화

●

이 현 정

1. 물은 우리 모두의 것이다

우리가 잘 알고 있는, 대동강 물을 파는 사기꾼 봉이 김선달 얘기
에 보면 다음과 같은 대사가 나온다.

> 평양 물장수 : "이 자식들, 어디서 굴러들어왔어? 대동강은 나라 것인
> 데 누구 맘대로 사고 파는 거야? 강물에 임자가 어디 있어?"
> 봉이 김선달 : "아니 그럼, 이 대동강은 개인의 것이 아니라 나라 것이
> 란 말이오?"
>
> (봉이 김선달 대동강 물을 팔아먹다, 2016 ,해성E&P)

여전히 공공수역은 공유지이고 관리 역시 국가 혹은 지방정부가
해야 한다. 그러나 2017년 현재, 봉이 김선달과 같이 물을 민영화하
고 사유화하는 일은 낯선 일이 아니다. 물 민영화는 어떠한 방식으로

이루어지고 있으며, 과연 이는 올바른 일일까?

2. 물과 유역流域, 그리고 먹는 물

2017년 6월 현재, 전국은 엄청난 가뭄에 시달리고 있다. 마른장 마라는 형용모순의 단어가 보여주듯이, 이제 봄 가뭄은 일상이 되고 있고 나아가 장마철 마저도 비가 거의 오지 않는 상황에 이르렀다. 기본적으로 물은 하늘이 내려주는 것이고, 우리는 그렇게 내린 물을 어떠한 방식으로 모으고 이용할 것인지를 결정할 수 있다. 비가 내리면 일부는 땅에 스며들고(침투浸透infiltration), 그 중 일부는 더 깊은 지하 대수층까지 이동(침루浸漏, percolation)한다. 땅에 스며들지 못한 물을 지표면을 따라 흘러가는데 이를 표면유출(表面流出, surface runoff)이라고 한다. 유역(流域, watershed)이란 하천의 어느 지점을 기준으로 이렇게 지하나 지표를 따라 그 지점으로 물이 흘러들어오는 구역을 말한다(그림 1). 이런 유역은 우리나라 행정구역을 나누는 기본 단위가 되기도 한다. 마을을 나타내는 동(洞)이라는 한자를 보면 같을 동(同)에 물 수 변을 써서 같은 물을 쓰는 작은 유역 단위를 의미하는 말이다. 그런데 이런 유역에 건물이 들어서고, 지하에서는 다양한 개발이 진행되고 지표면은 물이 스며들 수 없는 불투수층이 증가하면서 물의 순환을 왜곡하는 결과를 낳았다(그림 2). 그 결과 지하수위는 낮아지고 하천에서는 비가 올 때에는 급격하게 유량이 증가하지만 평상시에는 건천이 되는 현상이 전국적으로 나타나고 있다.

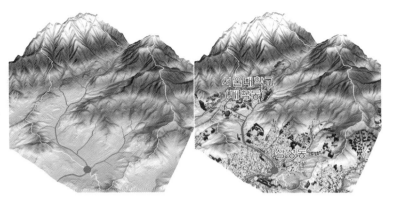

[그림 1] 유역의 개념(이현정, 2010)   [그림 2] 유역의 도시화(이현정, 2010)

그렇다면 부산은 어느 유역에 속할까? 부산은 강서구, 북구, 사상구와 금정구의 금성동만 낙동강 본류 유역에 해당한다. 나머지 지역은 수영강, 동천, 좌광천, 보수천, 장안천 등을 통해 바다로 유입되는 동남해안 유역에 해당한다(그림 3). 한 편 부산의 수돗물은 최근 해수담수화 수돗물 공급 논란이 있기 전까지는 별 무리 없이 모두 낙동강으로부터 공급되어왔다(그림 4).

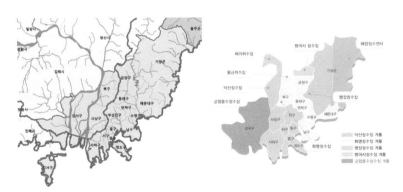

[그림 3] 부산의 행정구역과 유역경계(굵은선)   [그림 4] 부산의 수돗물 공급도

그렇다면 부산 시민들의 대부부분이 공급받는 수돗물의 수원인 낙동강이 깨끗하려면 어때야 할까? 부산만 노력하면 되는 일일까? 결론적으로 그렇지 않다. 낙동강 하류의 물이 깨끗하기 위해서는 경북, 대구, 경남, 부산 모두가 협조해야 한다. 왜냐하면 낙동강의 유역에 모두 포함되기 때문이다(그림 5).

[그림 5] 낙동강 유역(굵은선 안쪽)과 행정구역

특히 상류지역의 경우 상수원 보호구역으로 지정되는 등 개발 제한의 불이익을 겪고 있다. 상류지역의 개발 및 재산권이 제한되는데 그 혜택은 하류지역이 훨씬 많이 보게 된다. 이러한 불평등을 극복하는 방법으로 하류지역에서 재정을 만들어 상류지역을 지원하기 위한 물이용 부담금 제도를 도입하였다. 낙동강 유역의 경우 2002년부터 물이용부담금을 부과하고 있으며, 수돗물 1톤당 170원을 부과하고 있다.

3. 갑작스런 해수담수화, 왜?

    지금까지 낙동강 물을 이용해 부산 전 지역에 수돗물을 공급해 온데에는 여러 가지 이유가 있다. 우리나라는 다른 여러 국가에 비해 강물이 풍부하다. 전 세계적으로 해수담수화 방식의 정수 방식을 채택하는 나라는 사막이나 섬 등 담수(淡水)가 풍부하지 않은 지역에서 불가피하게 이용한 방식이다. 왜냐하면 강물을 정수하는 방식이 염분 자체를 없애고 다시 이온 등을 주입해 줘야 하는 해수담수화 방식보다 훨씬 싸기 때문이다. 해수담수화 방식 중 가장 주된 방법은 삼투압 원리의 반대인 역삼투압 방식을 이용한다. 삼투압이란 김장 때 소금을 뿌리면 배추 안의 염분 농도를 맞추기 위해 수분이 바깥으로 나오는 원리로 삼투압은 가만히 놔두면 일어나는 자연스러운 현상이다. 반면 이에 역행하는 역삼투압은 삼투압과 반대 방향으로 압력을 가해 물과 염분을 분리시키는 부자연스러운 현상이기 때문에 많은 에너지가 필요할 수밖에 없다. 해수담수화 방식의 정수 방식은 에너지 집약적이기 때문에 해수담수화 시설에 작은 원전을 묶어 수출하는 방식도 제안되고 있을 정도이다. 실제 기장 해수담수 시설은 싼 물을 공급하는 곳이 아니다. 낙동강 취수 때보다 적자임이 밝혀진 바 있다.[1]

    게다가 2008년 4대강 살리기 사업 추진 당시 4대강 사업을 하면 낙동강 수질이 개선 된다고 홍보했던 정부가 4대강 사업이 완공 된 지금에 와서 낙동강 수질을 핑계로 해수담수화 사업을 추진하는 것은 모순적이고 무책임한 일이다. 그렇다면 왜 이런 여러 가지 상황과 주민들의 반대에도 불구하고 해수담수화 수돗물을 강제 공급하고 부산의 다른 지역까지 확장하려는 것일까?

4. 천천히 티 안나게 민영화 쪼개기[2]

이 의문을 풀려면 국가 치원의 장기 계획 중 하나인 '물산업 육성 전략(2010.10)'을 살펴봐야 한다. 촛불집회가 한창이던 2008년, 이명박 전 대통령은 "수도는 민영화 대상이 아니"라고 못을 박았다. 그러나 2010년 10월 녹색성장위원회·환경부·국토해양부는 관계부처 합동으로 '물산업 육성 전략'이라는 보고서를 내놓는다. 이 보고서에 기장군 해수 담수화 시설의 주역인 두산중공업의 이름이 물산업의 주요 방식 중 하나인 해수담수화와 함께 언급되어 있다. 겉으로 물은 민영화 대상이 아니라고 했지만, 뒤에서는 차근차근 실질적인 민영화를 준비해 온 것이다.

보고서의 추진전략에는 향후 해수담수화 시장의 60%를 차지할 역삼투압 방식에 대한 기술개발을 추진할 것임이 명시되어 있다. 특히 기장군 사업 초기의 해수담수화 시설은 물산업 해외수출을 위한 실험적 성격의 사업임이 명확했다. 두산중공업은 이미 그 사이 해외에서 어마어마한 이득을 얻어 왔다. 그러나 이런 시작과는 달리 기장군과 송정동의 수돗물을 대체하기 위한 관망 설치 등 모든 준비를 마쳤다. 그 사이 주민들의 동의 절차는 전혀 없었다.

공무원 노조가 작성한 '지방 상수도 민간위탁(민영화) 계획 분석'

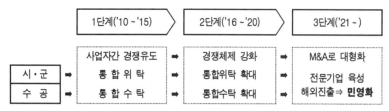

1단계('10 ~ '15)	2단계('16 ~ '20)	3단계('21 ~)

| 시·군 → | 사업자간 경쟁유도 → 통합위탁 → | 경쟁체제 강화 → 통합위탁 확대 → | M&A로 대형화 전문기업 육성 |
| 수 공 → | 통합수탁 → | 통합수탁 확대 → | 해외진출 ⇒ **민영화** |

[그림 6] 물산업육성전략 단계표(공무원노조 정책실 자료)

을 살펴보면 정부는 '물'을 인권이나 생명이 아닌 이익을 창출할 수
있는 경제재로만 인식하고 있음을 알 수 있다. 이는 물론 국민의 건
강과 생명을 담보로 할 수밖에 없다. 따라서 '물 산업 육성'은 물의
사유화, 상수도 민영화의 또 다른 표현으로 봐야 한다. 물산업 육성
전략 보고서에는 "민간기업의 수도사업 위탁은 공기업(환경공단, 수

공)과 컨소시엄 구성을 통한 교두보 확보 후 점진적 추진 ⇒ 민영화
논란으로 직접적인 민간기업 참여는 곤란, 상수관망 관리 등 단순위
탁 및 공기업과의 컨소시엄을 통한 운영경험 확보"라고 기술하여,
천천히 티 안 나게 단계를 밟아가며 민영화를 추진할 것까지 기술하
고 있다.

　문제는 이러한 민영화가 사람의 기본적인 생존 요건이자 독점 공
급의 영역인 수돗물 영역에서 나타나게 되면 장기적으로 큰 문제를
일으킬 것이 필연적이라는 데에 있다. 수돗물은 다른 상품처럼 시장
내에서 품질로 경쟁하고 가격이 조절되지 않는다. 선택의 여지도 없
다. 수도꼭지를 틀면 나오는 게 수돗물이다. 수많은 문제점이 발생
하겠지만 그 중 중요한 세 가지를 꼽아보자면, 먼저 언젠가는 물 값
이 확 오를 수밖에 없다. 아래 [그림 7]의 논산시 사례를 보면, 수도
요금이 위탁 전인 2003년 709원/톤이었다가 2010년 883원/톤이 되
었다. 수도요금이 일부 상승했다. 그러나 보다 중요한 지표는 예산
현황이다. 2003년 67.7억이었던 예산이 120억이 넘어가고 있다. 적
자가 누적되고 있고, 이는 언젠가 대폭의 물값 상승으로 이어질 수

항목별 구분	예산현황(천원)							수도요금 (톤/원)
	합 계	운 영 비				사업비	영업외 비용	
		계	인건비	일 반	위탁비			
위탁전 (2003년)	6,765,953	5,288,065	1,211,938	4,076,127		1,060,000	417,888	709
위탁 첫해 (2004년)	7,008,783	5,972,288	640,377	1,997,397	3,334,514	325,000	711,495	807
위탁 첫해 (2004년)	12,021,858	10,189,942	675,972	123,444	9,390,526	516,000	1,315,916	883.45

[그림 7] 논산시의 지방상수도 위탁 전과 후의 물값과 예산현황(공무원노조 정책실 자료)

밖에 없다.

두 번째 문제는 운영 노하우나 기술이 사기업의 영역으로 이전되고 자체적으로 발전되어 공공의 영역으로 되돌릴 수 없다는 것이다. 마지막으로 가장 중요한 문제는 이러한 과정에서 정부가 책임지고 시민들을 위한 먹는물의 안전성(safety)과 안정성(stability)을 담보하지 못할 수 있다. 기업의 선의를 신뢰하고 맡겨 놓아도 되는가에 대한 답변은 낙동강 페놀 사건을 보면 찾을 수 있다. 기업은 언제든 이윤을 위해 도덕적 책임을 방기할 수 있으며, 감시의 책임은 정부가 져야 한다.

5. 공공성, 세금의 이유

물뿐만 아니라 다양한 영역에서 민영화라는 거부감 드는 단어 대신 다른 단어로 대체해서 '실질적인 민영화'가 추진되고 있다. 민간위탁, 민간부문 활용이라는 제목으로 주택, 의료, 에너지 등의 민영화 움직임이 있다. 근저에는 시장 경쟁을 통해 효율성을 추구하는 것처럼 포장하지만 독점적 공급 체계에서는 제대로 된 경쟁도 이루어 질 수 없고, 따라서 효율성도 담보될 수 없다. 게다가 기업은 절대 손해 볼 사업은 하지 않는다는 점을 떠올려 보면 사실상 정부가 스스로 책임져야할 공공의 영역을 떠넘기고 있다고 밖에 볼 수 없다. 그러나 우리가 정부에 세금을 내는 이유는 그러한 공공성을 정부가 책임지고 담보해 주어야하기 때문이다.

미국의 데이빗 하비 교수는 '신자유주의 세계화의 공간들(2010)'에서 다음과 같은 이야기를 한다. "(신자유주의의 주요한 전략 네 가지 중 한 가지인) '사유화'는 생산적인 공적 자산들을 국가에서 민간 기업으로 이양하게 만든다. 생산적인 자산에는 자연 자원들도 포함된다. 땅, 숲, 물, 공기. 이들은 국가가 그 인민들을 위해 위탁 받았던 것들이다. … 이를 강탈하고 민간 기업에 물건처럼 팔아 버리는 것, 이는 역사상 유례없는 야만적인 강탈이 벌어지는 것이다." 지금 우리는 정확히 그 야만적인 과정의 한 가운데에 서 있다. 먹는 물에 대한 책임을 사기업에 떠넘기면서, 주민들의 반대에도 불구하고 해수담수화 수돗물을 강제로 공급하려는 부산 기장 지역의 주민들은 그 최전선에 서서 싸우고 있는 사람들이며, 앞으로의 우리 모두의 모습이기도 하다.

참고문헌

공무원노조 정책실, 2011, 지방 상수도 민간위탁(민영화) 계획분석
데이빗 하비, 2010, 신자유주의 세계화의 공간들
이현정, 2010, 도시 유역 건전성의 회복을 위한 수문연결성 분석, 서울대학교 박사학위논문

1. 관련기사 : 서울경제, 기장해수담수 시설, 낙동강 취수때보다 오히려 적자
   (economy.hankooki.com/lpage/201512/e20151208165905143120.htm)
2. 사이 소제목은 2012년 시사인의 기사 "설마 했던 '물민영화', 이미 시작됐다"에서 그대로 가져왔다. 정부의 물민영화 장기 계획에 대한 내용이 자세히 실려 있으니 관심이 있는 사람들의 일독을 권한다. (www.sisainlive.com/news/articleView.html?idxno=15025)

독일 탈핵 운동사에서 찾는 세 가지 가치

•

전 진 성

1. 서론 – 독일 탈핵 운동사에 주목하는 이유

2011년 6월 9일 독일 연방정부는 2022년까지 핵발전소를 모두 폐쇄할 것을 공식 선언하였다. 그런데 이는 새로운 선언이라기보다는 "2000년 6월 14일의 원자력 합의"로의 회귀에 불과했다. 반핵 운동을 기반으로 성장한 녹색당이 사민당과의 연립정부를 구성하면서 마지막 원자로 폐쇄 일정을 못 박은 "원자력 합의"는 이후 기민련 정부가 들어서면서 원자로 수명을 2033년까지 12년 연장하는 안으로 수정되었는데, 후쿠시마 원전 사태 이후 들끓는 여론 속에 원위치로 복귀한 것이었다.[1] 원자력에 의한 발전량으로는 세계 6위, 설비 용량으로는 세계 5위의 원전대국이 이처럼 과감히 탈핵의 길로 접어들 수 있었던 배경에는 거의 반세기에 걸쳐 지속되어온 오랜 탈핵 운동의 역사가 있었다.[2]

독일 탈핵 운동의 역사는 반핵, 반원전의 구호를 넘어 에너지 전환에 기초한 핵 없는 사회를 만들어가는 지난한 과정이었다. 냉전 시기 핵의 군사적 사용에 대한 저항은 1970년대를 거치며 핵의 평화적 사용, 즉 핵발전소에 대한 거부 운동으로 확대되었고, 결국 1990년대를 거치며 대안적인 재생가능 에너지 체제로의 전환을 이룩할 수 있었다. 이러한 비약적 발전과정에는 퍼싱(Pershing)이나 SS-20 같은 중거리 미사일의 배치나 체르노빌이나 후쿠시마 원전 사고와 같은 외부로부터의 돌발적 변수가 작용한 것이 사실이지만, 보다 근본적으로는 독일 시민사회의 부단한 개혁 요구와 그것의 정치적 대의(代議)를 위한 노력이 빚은 소중한 결실임에는 이론의 여지가 없다.

후쿠시마 원전 사고의 여파로 핵 없는 세상에 대한 열망이 전례 없이 증대된 지금, 독일 탈핵 운동의 역사는 여러모로 모범적인 사례를 제공한다. 단지 탈핵이라는 결과만이 아니라 그러한 결과에 이르는 도정 중에 제기되었던 주요한 논제들이 독일 탈핵 운동사에 주목하도록 만든다. 그 논제들은 무엇보다 생태주의, 민주주의, 인권이다. 이들은 모두 핵 문제를 넘어 현대 시민사회가 지향하는 보편적인 가치들로서, 이들 가치와 결부됨으로써 비로소 독일 탈핵 운동사는 핵 없는 세상을 만들기 위한 영감의 원천으로 자리 잡을 수 있다.

독일 탈핵 운동사는 먼저 "저탄소 녹색성장"이라는 현 이명박 정부의 친(親)원전 정책의 허구성을 직시하고 참된 환경의 의미를 되새기게 해준다. 탄소 배출이 많은 석탄화력 발전소는 그대로 둔 채 환경 재앙을 초래할 수 있는 핵발전소를 증설하는 계획은 결코 '녹색성장'일 수 없다. 독일 시민사회가 핵무기에 반대하는 평화 운동을 넘어 핵발전소 건설 반대와 에너지 전환을 표방하는 환경운동으로 나아가게 된 것은 단지 전쟁만이 아니라 평화 상태에서도 우리 삶의 조건은 철저히 파괴될 수 있기에 이를 막기 위해서는 보다 생태친화적이고 덜 소비지향적인 방향으로 우리 사회체제 자체를 근본적으로 혁신하는 일이 요청되기 때문이었다.

독일 탈핵 운동사는 또한 진정한 풀뿌리 민주주의를 실현해가는 장이었다. 핵무기는 말할 것도 없고 핵발전소는 고비용의 첨단 기술의 산물이라는 점에서, 그것을 건설하고 통제하기 위해 민주적인 의사결정보다는 관료집단과 대자본의 유착 및 비밀주의의 만연을 필연적으로 초래한다. 따라서 시민사회의 탈핵 요구는 기술적 안전의 문제를 넘어 정치적 정당성의 문제를 제기한다. 즉 그것은 삶의 주체적 결정을 위한 자유와 지역의 자원 분배 및 개발상의 평등, 그리고 사회적 합의를 통한 의사결정권을 쟁취하기위한 정치적 투쟁을 의미한다.

이와 같은 풀뿌리 민주주의의 요소들은 결국 정치적이면서도 도덕적인 쟁점, 다름 아닌 인권의 문제를 건드린다. 탈핵이라는 민주적 요구는 근본적으로 우리 자신과 후손들의 생명을 권력과 자본에 마냥 맡길 수만은 없다는 절실함의 산물이다. 핵발전의 기본 원리가 원자폭탄과 동일하며 방사능에 의한 환경적 재앙의 가능성이 항존한다는 인식을 획득해가면서 독일 시민사회는 인간의 기본권인 생명권을 재발견하게 되었다. 핵발전 중심의 에너지 정책을 전환하여 재생가능 에너지 정책이 출현하도록 만든 것은 '에너지 효율'의 논리 이상으로 인간 생명의 소중한 가치에 대한 인식이었다. 그것은 추상적인 평화주의로는 결코 도달될 수 없는 인식의 지평이었다.

본고는 생태주의, 민주주의, 인권이라는 보편적 가치를 중심으로 독일 탈핵 운동사를 논의해봄으로써 재앙의 한치 앞에서 이제 겨우 시작된 우리 사회의 탈핵 담론에 보탬이 되고자한다.

2. 반핵에서 탈핵으로 – 생태주의적 전환

탈핵 운동의 출발점은 핵무기에 대한 반대하는 평화 운동이었다. 히로시마와 나가사키의 비극이 여전히 사람들의 뇌리에 머물고 있던 1950년대 중반에 핵무기 실험에 대한 국제적인 저항운동이 펼쳐진 것은 어쩌면 당연했다. 반핵의 논리는 냉전 시기에 군축의 필요성을 주장하는 근거로 활용되었다.[3]

반핵을 부르짖은 선두주자는 다름 아닌 핵무기 개발에 대한 책임성을 통감하던 과학자들이었다. 1954년 말 노벨상 수상자들이 모인 마이나우(Mainau) 회의에서 철학자 러셀(Bertrand Russell)과 물리학자 아인슈타인(Albert Einstein)이 작성한 선언문이 채택되었다. 이 선언문은 동서 냉전의 종식과 핵에너지를 통제할 수 있는 길을 모색하자고 제안하여 광범위한 국제적 호응을 얻었다. 선언문은 기본적으로 비정치적인 성격을 띠었다.[4] 서독에서는 아데나워(Konrad Adenauer) 정부가 냉전의 위기 속에서 "안보를 위한 핵 도입"을 주장하고 나선 것에 대한 반발로, 1957년 4월 18일 "괴팅엔 선언(Göttinger Manifesto)"이 이루어졌다. 서독 반핵운동의 출발점으로 기록되는 이 선언에는 오토 한(Otto Hahn), 베르너 하이젠베르크(Werner

Heisenberg), 칼 프리드리히 바이체커(Carl Friedrich Frhr. v. Weizsäcker) 등 총 18명의 대표적 독일 핵과학자들이 참여했다.[5]

"괴팅엔 선언"에서 특히 눈여겨볼 점은 핵무기 개발에는 참여를 거부하지만 평화적 핵에너지 이용은 지지한다는 입장이다. 원자의 군사적 사용이 모든 계획의 불가능성을 초래한 반면, 핵에너지의 평화적 사용은 사회의 합리화에 기여할 수 있을 것이라는 이분법적 발상이 선언의 근간을 이루고 있었다. 이러한 발상은 사실상 냉전의 데탕트(détente) 조류 속에서 힘을 얻었고 여기에 반대하는 이들은 아주 소수에 불과했다. 핵에너지의 평화적 사용은 경제개발의 논리에도 잘 부합되었던 바, 석탄이나 석유보다 안정적인 새로운 에너지원 개발이 필수적이던 전후 경제의 사정에 비추어 볼 때, 그것은 아주 호소력이 있었다. 1958년 초 노조들과 연대하여 원자폭탄에 반대하는 캠페인까지 벌인 사민당도 "원자(Atom)"를 새로운 시대의 상징이자 평화의 징조로 여겼다. 진보적인 사민당은 심지어 개발도상국에도 원전 기술을 전파해야한다고 주장했다.[6]

1955년 5월 주권을 회복한 서독 정부는 상대적으로 뒤늦게 원자력 개발에 나섰다. 핵에너지 활용을 목적으로 하는 원자력 프로그램을 수립하고 1955년 원자력부를 설치하는 등 관련 제도를 정비하고 미국의 원전기술을 수입했다. 원자력은 경제성장을 중심으로 새로운 민족적 정체성을 구축해가던 서독의 이미지에 잘 부합했는데, "원자력은 새로운 독일 민족주의의 신성한 암소"라는 한 저널리스트의 지적은 매우 적절한 것이었다.[7] 사실상 "핵에너지의 평화적 사용(Atoms for Peace)"은 1953년 미국 아이젠하워(Dwight D. Eisenhower) 대통령이 유엔 연설에서 사용한 표현으로 냉전기 내내 인구에 회자되었지만, 아이젠하워는 분명 핵무기 개발을 염두에 두고 말한 것이었다.

허구적인 '평화'의 수사는 서독에서 1960년대를 거치며 조금씩 그권위를 잃어갔지만 비로소 1970년대에 들어서야 본격적인 비판의 대상이 되었다.[8] 서독 정부가 1972년까지 1, 2, 3차 원자력 프로그램을 수립하고 상업용 원자로 개발이 성과를 내면서 원자력 전력 중심의 에너지 정책을 시행하게 되자[9] 이에 대한 공공적 저항이 불붙게 되었다. 이른바 "반원전 운동(Anti-AKW-Bewegung)"은 핵폐기물 처리와 원자로 안전메커니즘에 대한 종전의 절대적 신뢰성이 약화되고 대형사고에 대한 염려가 확산되면서 점차 정치적 영향력을 얻기 시작했다. 서독의 반원전 운동은 처음에는 핵무기 전파에 반대하는 일환으로 모든 종류의 핵시설을 문제 삼았던 '독립적 평화주의자 전국회의(Bundeskongress Unabhängiger Friedensgruppen, 일명 BUKO)' 등과 같은 평화운동 세력이 주도했으나[10] 당시 급성장하던 환경 운동의 흐름과 결합하게 되면서 강한 시너지 효과를 낼 수 있었다. 반원전 운동은 잠재적 위험성을 지닌 모든 종류의 원자력 시설과 우라늄의 채취, 및 농축, 핵연료봉의 제조, 핵폐기물의 운송 및 처리 등의 전 과정에 대해 문제를 제기했다.[11]

반원전 운동을 폭발시키게 된 결정적 계기는 1975년 2월부터 9개월간이나 지속된 빌(Wyhl) 원전부지 점거 사건이었다. 1973년 오일쇼크를 겪으면서 서독 정부는 석탄과 핵발전을 주요한 전력 에너지원으로 하는 에너지 정책을 더욱 강화하게 되었는데, 그 일환으로 바덴뷔르템베르크 주의 카이저슈툴(Kaiserstuhl) 구릉지대 북쪽에 위치한 시골마을 빌에 원자력발전소를 건설하기로 결정했다. 이후 시민단체들의 원전 건설예정지 점거와 경찰의 강압적인 진압, 그리고 이어진 재점거 과정은 독일 역사상 최초의 대규모 핵발전 반대 시위로 기록되면서 브로크도르프(Brokdorf), 그론데(Grohnde), 칼카(Kalkar)로 이어지는 전국적인 반원전 운동의 기폭제가 되었다.[12]

빌 원전부지 점거 사건은 반핵운동을 포함한 독일 시민운동 전반의 이른바 '생태주의적 전환(ökologische Wende)'[13]의 시발점으로 볼 수 있다. 정치적 이데올로기에서 항상 주변적 관심사로 머물던 '환경(Umwelt)'이 주요한 이슈로 부각되었을 뿐만 아니라, 환경 운동 자체도 기존의 자원·생태 보존의 차원을 훌쩍 뛰어넘어 보다 급진적인 정치적 성격을 띠게 되었다. 프랑스와 독일, 그리고 스위스 국경지역에 자리잡은 빌에서 19세기 애향 운동(Heimatbewegung)의 연장선상에 있는 초국적인 "알레만 정체성"[14]이 새로이 논의되었고 원전부지 점거에 독일의 여타 지역뿐만 아니라 주변국에서 온 50여개의 시민단체들이 참여하여 "바덴-알자스 시민연대(Badisch-elsässische Bürgerinitiative)"라는 국제연대조직을 구성했다. 비폭력을 원칙으로 삼은 이 조직은 『환경 통신(Umwelt-Bote)』을 발간하고 지역집회, 시위, 버스를 이용한 의회의 항의방문, 현장 점거 등과 같은 운동을 7년간이나 지속했다. 이들의 비폭력 운동은 라인강 양안에서 광범위한 호응을 얻었다.[15]

전통적으로 독일의 환경 운동은 보수주의적 성격이 강했다. 민족(기층민중)과 자연의 근원적 통일성을 "피와 땅(Blut und Boden)"으로 개념화하고 이에 대한 대립자로 근대 기술을 설정하면서 그 인위성과 획일성을 비판하는 시각은 근대 문명에 대한 회의라는 점에서 지극히 보수주의적이었는데,[16] 이는 극우 보수주의자 슈펭글러(Oswald Spengler)의 1931년 저작 『인간과 기술』에서 가장 극명한 표현을 얻었다.[17] 그러나 '생태주의적 전환' 이후 '환경'이라는 용어가 급진주의자들에 의해 새롭게 전유됨에 따라 전혀 새로운 정치적 지형이 펼쳐지게 되었다. 생활하수 및 공장폐수에 기인한 하천의 온난화와 산업시설의 증가에 따른 농업 환경의 황폐화 등이 인간 생존의 근본적인 위협으로 인지되면서 이에 대한 정치적인 해결책이 마련되어야한다는 목소리가 힘을 얻기 시작했다.[18]

1980년 녹색당 창당 때만 해도 여전히 보수주의의 그림자가 드리워져있었다. 기민련 출신의 헤르베르트 그룰(Herbert Gruhl)이 핵발전 반대 운동에 적극적으로 참여했던 좌파 세력을 끌어들여 녹색당을 창당했으나 통합은 그리 오래가지 못했다. 보수적인 환경보호 세력은 곧바로 탈퇴했고 녹색당은 급진 좌파의 수중에 떨어졌다.[19] 1986년의 체르노빌 사고를 겪으며 급진적 환경론자들의 발언권은 더욱 강화되었으며 이제 '핵에너지의 평화적 사용' 대신 전면적인 탈핵을 요구하는 목소리가 정치적 정당성을 획득할 수 있었다.

3. 정치적 과정으로서의 탈핵 – 풀뿌리 민주주의를 향해

반원전 운동은 처음부터 국가의 정치적 의사결정 방식을 문제 삼으며 등장했다. 핵발전소의 건설은 단지 기술적인 문제가 아니라 시민사회의 동의를 필요로 하는 정치적 결정의 문제였다. 핵발전소의 건설과 통제에 내생적인 관료주의 내지는 비밀주의는 시민사회의 민주주의 요구와는 거리가 멀었다. 서독의 초기 원자력개발이 시작되던 시기에 형성된 정부와 에너지 사업자 간의 긴밀한 공조관계는 적-녹 연정이 들어선 1998년까지 본질적으로 그 특성을 유지했고 이들 간의 밀월관계는 테크노크라트 전문가 집단과 이해를 같이하며 정책결정의 실질적인 권한을 독점했다.[20] 그러므로 반원전 운동은 처음부터 정부-산업 간의 원자력 카르텔의 비정당성을 폭로하는 매우 급진 민주주의적인 성격을 지니지 않을 수 없었다.

1970년대 본격적인 반원전 운동의 불길이 타오를 때 서독의 집권 세력은 진보적인 사민당이었다. 1969년 기민당이 물러나고 빌리 브란트(Willy Brandt)가 이끄는 사민당과 자유당의 연정이 시작되면서 최초의 정부 차원의 핵발전소 건설 보류가 이루어졌으나 1973년 오일 쇼크를 겪으며 수입 석유에 지나치게 의존하는 위험성이 문제시되어 다시금 핵발전소 건설 붐이 일게 되었다.[21] 서독의 급진 민주주의 세력은 나토 미사일과 더불어 원자력을 지지하는데 있어 별반 차이가 없던 기민련과 사민당을 모두 비판하며 비타협적인 탈핵 운동을 전개하게 되었다.

반원전 운동이 전면적인 탈핵 운동으로 나아가게 된 결정적 계기는 이론의 여지없이 뷜에서의 점거 투쟁이었다. 그 이전까지는 그저 내가 살고 있는 주변에만 원전 시설이 안 들어오면 된다는 식의 소극적인 반원전 운동이 뷜 투쟁 이후에는 원자력 발전 자체를 반대하는 전국적인 탈핵 운동으로 발전해갔다. 사실 뷜 같은 시골마을이 원전 건설 예정 부지로 선정된 것은 본시 브라이스바흐(Breisbach)로 예정 되었던 원전건설이 65,000명의 주민청원 운동에 의해 저지되자 정 부가 예정 부지를 변경한 것이었는데, 뷜 주민들이 발전소에 대한 보 다 더 자세한 정보를 주정부에 요구했으나 정부가 대응을 않자 법적 인 소송을 벌였고, 전혀 성과가 없이 끝나자 주민들은 예정부지 점거 에 들어갔으며 주정부는 무자비한 경찰 폭력에 의지하여 이들을 해 산시키려했다. 결과는 주민들에 의한 부지의 재점거였다.[22]

뷜 투쟁에서 두드러진 점은 의회 밖의 시민운동이 제 목소리를 내 기 시작했다는 사실이었다.[23] 1960년대와 1970년대를 거치며 환경 운동, 지역 운동, 여성 운동 등이 다양하게 결합되며 기성 질서에 도 전했는데, 이들은 흔히 '신사회 운동(neue soziale Bewegungen)'으로 일컬어지며,[24] 이 운동의 주체는 이른바 '68세대'의 급진 민주주의적 운동가들이었다.[25] 반원전 운동은 이들이 광범위한 지지기반과 조직 력을 획득하는 다시없는 기회의 장이 되었다. 소수 전위 혁명가들의 모험이 아니라 시민들의 일상에 굳건히 뿌리박은 일종의 풀뿌리 민 주주의의 가능성이 열린 것이었다. 오랜 점거가 이어진 뷜에서는 원 전건설 예정 부지에서 벌채된 나무로 지어진, 알레만 방언으로 "우정 의 집(Frendschaft's Huss)"이라고 이름 붙여진 원형건물에 "뷜 숲 속 의 시민대학(Volkshochschule Wyhler Wald)"이 터를 잡아 민주적 토 론의 장으로 기능하게 되었다.[26]

이제 독일 시민사회는 더 이상 국가로부터의 압력에 굴하지 않았 다. 1976년 엘베강 하류 연안의 브로크도르프(Brokdorf)에서 핵발전소 건설 반대 시위로 경찰과 시위대 간에 심각한 물리적 충돌이 빚어졌고 수일간의 대치 끝에 전투 경찰이 시위대를 강제 해산시켰다. 이 반대 운동은 재처리 설비와 사용 후 핵폐기물 최종처리장으로 선정된 니더작센 주 소재 고어레벤(Gorleben)에서 이어져 1979년 시위대가 다시 부지를 점거한 채 "벤트란트 자유 공화국(Freie Republik Wendland)"을 선포하고는 그들 "공화국"의 "시민들"에게 심지어 가공의 여권을 제공하기까지 했다. 물론 "공화국"은 곧 경찰과 국경수비대에 의해 정복되었다. 비록 최종적 승리를 거두지는 못했지만, 1976년에 4만 명이 브로크도르프 시위에 참여했다면 1979년 고어레벤의 시위에는 10만 명이 참가한 것으로 추산된다.[27] 물론 원전 건설에 찬성하는 맞불 시위도 이어졌지만 수적으로나 명분으로나 열세를 면할 수 없었다.[28] 1979년 3월 발생한 미국 북동부 스리마일 섬(Three Mile Island)의 핵발전소 노심용융 사고로 인해 반원전의 기치는 세계적 대세가 되어가고 있었다.[29]

서독 정부는 전국적인 반원전 운동의 격랑 속에서 이해당사자들의 시민 대화를 조직해 정부 정책을 설득하려했으나 무익한 시도로 그쳤다. 1977년 서독 정부가 고시한 원자력 계획은 1985년까지로 예정된 원전 건설 계획을 50% 규모로 축소하여 원전 출력을 24,000 MWe로 줄이고 핵에너지 이외의 기술 발전에도 투자를 늘리겠다는 의지를 천명했으나 성난 시민들을 다독일 수는 없었다.[30] 이제 전면적인 탈핵은 시민사회 내의 합의를 이루어가게 되었다. 원전은 냉각탑으로 인해 안개를 발생시켜 농장에 피해를 주고, 인근에서 생산되는 우유의 명성과 가격을 하락시키는 주범이라는 생각이 확대되었으며,[31] 이에 따라 법적 개입은 물론, 각종 강연회, 집회, 점거 등 다양한 방식을 통해 원전 계획을 철회시키려는 노력들이 줄을 이었다. 여기에 변호사, 의사, 물리학자 등 다양한 전문가들이 참여하여 정책적 대안을 마련하고 전국적 단위의 시민조직들이 결성되어갔다.[32]

'신사회 운동'은 뚜렷한 정치적 결과를 낳았다. 뷜과 고어레벤 등지에서 거의 '봉기' 수준으로 가열차게 진행된 투쟁은 시민들의 비폭력적인 불복종과 주체적인 결의 및 합의 도출, 급진적인 생태주의 등 새로운 정치적 패러다임을 제공함으로써 이를 반영하는 새로운 정당 창당의 계기를 창출했다.[33] 반원전 운동에 적극적으로 참여한 이들, 지역 환경운동을 이끌던 이들이 주축이 되어 최초의 환경 정당인 녹색당이 1980년 출범하게 되었다. 녹색당은 이듬해 주 의회에 진출하고 1983년 마침내 연방의회 입성하는데 성공했다. 녹색당의 연방정부 진출은 원전 정책을 뒷받침하던 정부–산업 간의 원자력 카르텔에 압력을 행사하는 새로운 정치권력이 등장함을 의미했다. 녹색당의 힘을 통해 비로소 탈핵이 정치적 의사일정에 오르게 되었다.[34] 사민당의 경우도 1980년대에 들어 다수가 반원전의 입장으로 선회하면서 사민당이 집권한 일부 지방정부와 기민당이 집권한 중앙정부 사이에 원전 정책을 둘러싼 갈등이 빚어졌다.[35]

이 모든 정치적 변화와 더불어 서독 정부의 친원전 노선을 전환시킨 결정적 계기는 다름 아닌 1986년 4월의 체르노빌 사태였다. 이제 다수의 시민들이 정부–산업 간의 원자력 카르텔을 포위하여 정치적으로 압력을 행사하는 새로운 양상이 펼쳐지게 되었다. 1970년대 이래 진행된 반원전 운동이 이미 상당한 정도 국민적 공감대를 얻은 상태에서 체르노빌 사고가 결정타와 같은 역할을 해주었기 때문에 탈핵의 현실적인 가능성을 제시하는 것은 큰 무리가 없었다. 1977년 설립된 '생태연구소(Öko Institut)'를 위시한 대안적 전문가 그룹들이 이미 시민단체들과 연계하여 기존의 테크노크라트 그룹을 대체해가던 중이었다.[36]

체르노빌 사고로 인해 원자력 정책에 대한 사민당의 공식적인 입장 변화가 앞당겨졌다. 1986년 8월 전당대회에서 10년간의 유예기간을 두고 원전을 폐쇄한다는 당의 입장이 천명되었다.[37] 체르노빌 사고와 더불어 독일 내 신규 핵발전소 건설은 전면 중단되고 사민당, 녹색당, 그리고 여타 진보 정당들이 원전폐쇄 정책을 공유하여 집권 여당에 탈핵에 대한 정치적 합의를 요구하고 나섰다. 사실상 1990년대에는 대안 에너지 정책의 필요성에 대해서는 기민련 등 보수정당과 녹색당이 큰 차이를 보이지 않고 사회적 합의도 견고한 편이었다. 따라서 1998년 적−녹 연정이 수립되자 큰 어려움 없이 "2000년 6월 14일의 원자력 합의"가 이루어질 수 있었다.[38]

1998년 적−녹 연정을 통해 공고화된 에너지 정책은 현재의 기민−자유 보수 연정에도 불구하고 큰 변화 없이 지속되고 있다. 다만 2000년의 원자력 합의에 관한 한 현 보수 정권은 2010년에 들어 후퇴 기미를 보였다. 탈핵 시기를 2012년에서 2033년까지 지연시킨 것은 사회적 합의를 일방적으로 파기했다는 점에서 호된 비판을 피할 수 없었다.[39] 그리고 후쿠시마 원전 사태를 맞아 탈핵은 다시금 가속화될 수 있었다. 이와 같은 지난한 과정이 우리에게 알려주는 바는 탈핵 사회를 만드는 일은 곧 민주주의를 쟁취하는 일이라는 것이다.

4. 추상적 평화주의에서 삶의 현장으로 – 인권 수호를 위한 탈핵

    1961년에 출간된 『원자폭탄과 인류의 미래』에서 철학자 칼 야스퍼스(Karl Jaspers)는 핵에 의한 정의구현이라는 미국 정부의 논리를 강하게 비판하고 나섰다. 미국 정부는 자국의 핵무기가 전쟁을 위한 것이 아니라 오히려 정반대로 전쟁을 억제하는 효과를 갖는다고 주장했는데, 이는 핵의 가공할 파괴력에 대한 공포심이 직접적인 군사 충돌을 사전에 방지한다는 논리에 근거해 있었다. 야스퍼스는 이러한 견해를 "그릇된 믿음"에 불과하다고 비판했다. 그는 공포를 근거로 평화를 다지겠다는 발상 자체가 잘못된 것이라고 지적하면서 지속적인 평화를 다지기위해서는 먼저 핵무기부터 폐기하고 세계평화를 보장하는 국제적 법질서를 구축해야한다고 주장했다.[40]

    야스퍼스의 견해는 누구도 평가절하할 수 없는 나름의 진정성을 담고 있지만 그가 말하는 "세계평화"는 지극히 추상적이다. 그러한 평화주의의 언어 속에서 히로시마는 인간이 만든 묵시록의 동의어일 뿐이다.[41] 원자폭탄의 버섯구름에 대한 묵시록적 경고는 다분히 미학적이다. 이렇게 볼 때, 미국 수소 폭탄의 실험장소였던 비키니 환초(Bikini Atoll)가 수영복의 이름으로 도용된 것은 매우 상징적이라 할 수 있다.[42]

    핵전쟁에 대한 반대에서 멈추는 평화주의는 '평화로운(?)' 핵발전소의 부산물인 플로토늄이 곧바로 군사적으로 사용될 수 있다는 사실을 은폐한다.[43] 그것이 핵무기이든, 핵발전소이든 간에 방사능의 치명적 위험으로 인간 생명의 권리가 유린당하고 있다는 사실에는 변함이 없다. 설사 체르노빌과 후쿠시마에서와 같은 대형 원전 사고가 없더라도 핵의 이용으로 인한 위험과 부담이 줄어드는 것은 아니다. 핵무기가 야기하는 방사능의 낙진(fallout)의 위험성은 이미 원폭 투하와 핵무기 실험으로 널리 알려진 바 있지만, 핵무기와 핵발전의 공통 원료가 되는 우라늄도 채취가 되는 과정에서부터 인근 지역을 광범위하게 오염시키면서 이와 전혀 무관한 생명과 거주민의 삶을 파괴한다. 핵무기와 핵발전소가 개발되고 가동되는 동안 인근 지역 주민의 삶이란 상시적인 오염과 사고위험, 사회적 낙인에 시달리게 된다. 그리고 핵발전소 가동으로 인한 핵폐기물은 짧게는 300년 길게는 수백만 년 동안 생명체로부터 완전히 격리되어야하는 심각한 골칫덩이로 남게 된다.[44]

서독에서 반원전 운동이 생태주의적인 환경 운동의 흐름과 이념적, 조직적으로 만날 수 있었던 것은 바로 이와 같은 인간 생존의 근본적인 위협을 자각했기 때문이었다. 핵원자력이 지닌 특수한 위험성이 초미의 관심사로 부각되면서 근대문명 자체의 본질을 문제 삼는 새로운 담론이 대두하였다. 이른바 "공학적 안전설비(engineered safeguards)"를 내세우는 미국식 경수로(light-water reactor)가 서독 원자력 산업에 도입되면서 안전의 문제가 정부로부터 인가를 받는 행정적 절차로 축소되자 과학적 이성의 한계와 비상사태의 가능성에 대한 보다 근본적인 검토가 절실해졌다. 따라서 새로운 환경 운동은 당장의 가시적인 피해보다도 미래의 위험성을 직시하고 정치적 해결책을 준비하는 방향으로 나아갔다.[45] '생태학(Ökologie)'이라는 응용과학이 새로운 정치적 가치를 띠게 된 것은 바로 이러한 움직임의 일환으로 볼 수 있다. 핵무기나 핵발전소를 통해 유출되는 방사능, 유전공학의 폐해, CO_2 방출에 의한 기후 변화 등 국경을 넘어선, 근대 문명의 이기에 의해 필연적으로 초래된 전 인류적 문제에 효과적으로 대처하기위해서는 기존의 기능주의적, 체제수호적 과학과는 뚜렷이 구별되는 새로운 종류의 과학이 구축되어야했다.[46]

사실 핵발전소의 핵심 문제는 전문성의 문제만은 아니다. 물론 핵기술의 발전 과정에서 야기되는 여러 문제도 여기에 포함되기는 하지만, 그보다는 핵기술을 폭탄제조에 사용할 것인지 아니면 의식적으로 차단할 것인지, 에너지 공급을 장기적으로 보장하기위해 핵발전소를 계속 지을 것인지, 아니면 최악의 경우 발생할 피해를 최소화하기위해 대체 에너지를 모색할 것인지를 결정하는 정치적 사안인 것이다. 이는 전문가 집단 내부에서 전문적 지식만으로 결정할 문제가 아니라 기본적으로 인간의 생명과 공동체의 유지에 관한 사안이다. 핵공학이나 유전공학처럼 자연의 근본 요소를 조작하여 변화시키는 일이 인간 사회의 합리화보다는 파괴에 훨씬 기여한다는 사실은 이미 2차 세계대전의 역사적 경험을 통해 증명된 바 있다.[47]

탈핵으로의 길이 민주공화국에서 가장 우선시되어야할 국민의 기본권과 사회 정의의 수호일 뿐만 아니라,[48] 더 나아가 국경선을 뛰어넘는 인류 보편의 '인권'을 수호하는 길이라는 자각은 독일의 생태주의적 환경 운동에 깊이 뿌리내리고 있다. 그 엄밀한 의미에 있어 인권이란 인간의 본성에 대한 어떤 종교적, 형이상학적 믿음이 아니라 인간의 존엄성을 최소한도로 보장하기위한 준거를 제공하는 일종의 '방법적' 가치체계라고 할 수 있다. 권력과 영예, 이윤과 소유 등을 목적으로 인간의 환경과 생명이 유린되는 살벌한 현실 속에서 최소한 도의 인간의 권리를 지켜내는 일은 아주 구체적인 '정치적' 과업이라고 할 수 있다.[49] 그런데 인권이 이처럼 분명한 정치적 성격을 지님에도 불구하고 특수한 목적에 국한되지 않고 나름의 보편성을 갖는 이유는 그것이 인간 본연의 존재론적 취약성에 근거를 두고 있기 때문이다. 인간의 행복은 다양한 모습을 띨 수 있지만, 적어도 비참함만큼은 공통적이다. 인간이 신체를 지닌 유한한 존재인 한, 우리의 생명을 앗아갈 환경적 재난으로부터 우리는 모두 취약하기 이를 데 없다.[50] 사실상 그 누구도 핵의 비극이 초래할 참상으로부터 자유로울 수 없다는 자각, 따라서 스스로 지배권력화된 과학기술로부터 인간의 보편적인 건강권과 생명권을 지켜내야 한다는 의식이야말로 독일에서 생태주의적 환경 운동이 등장한 정신적 배경을 이루는 것이다.[51]

독일의 탈핵 운동이 일상적 삶과 생태적 환경에 보다 친화적인 대안 에너지 정책의 실현으로 나아갔다는 사실은 이러한 가설을 입증한다. 2000년에 제정된 재생가능 에너지법(Erneuerbare-Energien-Gesetz)은 풍력, 태양광, 바이오매스 등 '재생가능한' 에너지원의 확대를 법제화하고 있는데, 재생 에너지 중심의 대안을 의제화함에 있어 시민사회의 요구를 치열하게 대변해온 녹색당의 의정활동이 큰 역할을 수행했다. 적-녹연정은 원자력 합의를 이끌어내는 한편, 에너지에 대한 환경세를 도입하여 산업에너지 효율을 강화하고 법체제를 재생가능 에너지에 유리하도록 정비하였고 10만호 태양광 프로그램 등 각종 활동을 주도했다.[52] 이러한 과정 속에서 대안 에너지 사업이 수익성을 창출함으로써 기존의 친기업적 정치인들마저도 이를 지지하게 되었으며, 또한 즉각적인 핵발전 중단은 불가능하다고 주장하는 이들도 현재의 에너지 소비를 효율화해서 감축하면서 에너지 수요를 핵발전이 아닌 재생에너지로 충당할 수 있도록 기술 개발에 적극적으로 투자해야한다는 의견을 갖게 되었다.[53]

재생가능 에너지의 도입은 일차적으로는 기술적인 문제이다. 그러나 그것을 결정하는 것은 결국 정치적인 선택이며, 이러한 선택을 가능하게 하는 것은 무엇보다 인권의 가치에 대한 존중이다. 과연 어떻게 인간이 압도적인 방사능의 위협 앞에서 자신의 취약성을 극복하고 자신의 생명과 삶의 방식에 대한 자주적인 결정권을 되찾을 수 있을 것인지의 여부가 여기에서 제기되고 있는 것이다.[54]

5. 결론 – 탈핵 사회의 구현을 위한 조건

탈핵으로 향한 최근 독일 사회의 빠른 행보는 1970년대 이래 지속되어온 시민사회 주도의 반원전 운동에 뿌리를 두고 있다. 국가권력과 자본이 결합된 핵발전소의 폐쇄된 구조를 아래로부터의 요구에 의해 근본적으로 변화시킨 독일의 사례는 핵 없는 세상을 만들기 위한 영감의 원천을 제공한다. 본고는 생태주의, 민주주의, 인권이라는 인류 보편적 가치들을 준거로 삼아 독일 탈핵 운동사의 의의를 검토해 보았다.

냉전 시기의 반핵 평화 운동에서 비롯된 서독의 탈핵 운동은 1970

년대를 거치며 정부의 친원전 정책이 본격 가동되면서 반원전 운동으로 변모되었고 급진적 환경 운동을 위시한 전반적인 '신사회 운동'의 흐름과 결부되면서 시민사회를 민주적으로 성숙시키는데 기여했다. 우리나라를 포함하여 아직도 세계 저변에 널리 퍼져있는 이분법적 발상, 즉 핵에너지의 군사적 사용과는 달리 평화적 사용은 사회의 합리화에 기여할 수 있을 것이라는 통념을 극복하기위해 독일 사회는 근본적인 발상의 전환을 필요로 했다. 다름 아닌 '생태주의'가 현실 사회를 변화시킬 대안적 가치로 부상함으로써 일반 시민들이 소비지향적 일상을 넘어 삶의 주체적 결정을 위한 자유를 획득하고 사회적 현안에 민주적으로 참여하려는 열망을 자극하게 되었다. 시골 마을 빌에서 폭발하여 서독의 곳곳에서 끈질기게 이어진 원전부지 점거 투쟁은 국가의 일방적인 정책 강행에 비폭력적인 방식으로 저항하며 자신들의 의지를 관철시켜간 시민 불복종의 전형적 표현이었다. 시민들의 주체적인 결의 및 합의 도출의 경험, 그리고 일상의 투쟁 속에서 자연스레 체득된 인도주의적-생태주의적 세계관은 결국 기존의 정치세력과는 판연히 구별되는 대안적인 환경 정당의 출현으로 이어졌다. 녹색당의 주도 아래 비로소 핵기술의 신화에 대한 전면적인 재검토가 이루어질 수 있었다. 특히 '에너지 효율'의 논리로는 변호될 수 없는 기본적인 안전성의 문제가 공론화되면서 보다 민주적인 통제가 가능하고 보다 생태친화적인 재생가능 에너지 정책이 출현하게 되었다.

이처럼 반원전 운동과 생태주의적 환경 운동이 효과적으로 결합될 수 있었던 기저에는 무엇보다 현대 과학기술의 맹위 속에서 인간

의 보편적인 건강권과 생명권을 지켜내야 한다는 강한 책임 의식이
자리 잡고 있었다. 그것은 추상적인 평화주의로는 결코 도달될 수 없
는 인식의 지평이었다. 인간이 압도적인 방사능의 위협 앞에서 어떻
게 자신의 취약성을 극복하고 자신의 생명과 생활방식에 대한 자주
적인 결정권을 되찾을 수 있을 것인지에 대한 고민이야말로 독일의
대안적 에너지 정책의 요체라고 할 수 있다. 이처럼 시민사회의 자체
적 역량을 통해 스스로를 대변할 정당을 창조해내고 그럼으로써 인
권의 가치를 수호하는 탈핵 사회의 기틀을 마련한 독일의 사례는 우
리에게 탈핵이란 단지 이상에 그치는 것이 아니라 우리의 생존을 위
한 유일한 활로이며 이 활로를 열기 위해서는 부단히 투쟁해야한다
는 사실을 깨닫게 해준다.

※ 이글은 전진성, 「생태주의, 민주주의, 인권 – 독일 탈핵운동사에서 찾는 세 가지 가치」, 『독일연
구』, 제24집(2012), 125–148쪽에 실린 글입니다.

1. 박진희, 「독일은 어떻게 탈핵과 에너지 전환을 추진하고 있는가」, 김명진 외, 『탈핵. 포스트 후 쿠시마와 에너지 전환시대의 논리』 (이매진, 2011), p. 133. 물론 이처럼 전향적인 결정마저도 산업계의 요구에 굴복한 것이라는 독일 시민사회 내의 비판이 있었다. 6월 말 하원의회 표결을 앞두고 녹색당은 메르켈 총리의 2022년 핵 폐기 제안에 동의하는 결정을 내렸다. 더욱 신속한 핵폐기 요구를 누르고 이러한 결정을 내린 데에는 핵산업계에 배상해야 할 비용에 대한 현실적인 고려와 더불어 책임지는 정당이라는 이미지를 확보하고자 하는 정치적 고려가 작용했던 것으로 보인다. 이에 대해서는 염광희, 「독일 탈핵 선언 이후, 1년을 돌아본다」, 『탈핵신문』, 창간호 (2012. 9), http://www.nonukesnews.kr/98 참조.

2 박진희, 「독일의 탈핵은 어떻게 가능했는가」, 『후쿠시마 이후 동북아 에너지, 물류 협력의 미래와 환동해경제권의 가능성 (2011 한겨레-부산 국제심포지엄 자료집)』, p. 142.

3. Michael Geyer, "Cold War Angst. The Case of the West-German Opposition to Rearmament and Nuclear Weapons," Hanna Schissler, ed., The Miracle Years. A Cultural History of West Germany, 1949-1968 (Princeton, 2001), pp. 376-408; Alice Slater, "Nuclear Disarmament. The Path Forward, Obstacles, and Opportunities," Marc Pilisuk & Michael N. Nagler, eds., Peace Movements Worldwide, vol. 2 (Santa Barbara, 2011), pp. 20-35.

4. Holger Nehring, "Cold War, Apokalypse and Peaceful Atoms. Interpretations of Nuclear Energy in the British and West German Anti-Nuclear Weapons Movement, 1955-1964," Historical Social Research, Vol. 29, No. 3 (2004), p. 160.

5. Holger Nehring, "Cold War, Apokalypse and Peaceful Atoms," p. 162. 선언문 원문은 다음을 참조. www.dhm.de/lemo/html/dokumente/JahreDesAufbausInOstUndWest_erklaerung-GoettingerErklaerung/index.html. 서독의 평화운동 일반에 대해서는 Andreas Buro, "Friedensbewegung," Roland Roth & Dieter Rucht, eds., Die sozialen Bewegungen in Deutschland seit 1945 (Frankfurt a. M., 2008), pp. 269-292.

6. Joachim Radkau, Aufstieg und Krise der deutschen Atomwirtschaft, 1945-1975. Verdrängte Alternativen in der Kerntechnik und der Ursprung der modernen Kontroverse (Reinbek: Rowohlt, 1983), p.92; Wilfried von Bredow, "Der Atomdiskurs im Kalten Krieg (1945-1962)," Michael Saelwski, ed., Das nukleare Jahrhundert (Stuttgart, 1998), pp. 91-101; Lucian Hölscher, Die Entdeckung der Zukunft (Frankfurt a. M., 1999), pp. 174-197.

7. 조지 카치아피카스 저, 윤수종 옮김, 『정치의 전복. 1968 이후의 자율적 사회운동』 (이후, 2000), p. 178에서 재인용.

8. Raymond Dominick, "Capitalism, Communism and Environmental Protection. Lessons from the German Experience," Environmental History, Vol. 3, No. 3 (1998. 7), pp. 319-332.

9. 박진희, 「독일의 탈핵은 어떻게 가능했는가」, p. 143.

10. 서독의 평화 운동과 반원전 운동의 관계에 대해서는 Ulrich Frey, "Die Friedensbewegung im Westen in den achtziger Jahren," Friedens-Forum, Vol. 2 (2008). http://www.frieden-skooperative.de/ff/ff08/2-63.htm 참조.

11. 김명진, 「평화로운 핵 이용은 가능한가. 핵 에너지 이용의 짧은 역사」, 『탈핵. 포스트 후쿠시마와 에너지 전환시대의 논리』, p. 57; Joachim Radkau, Aufstieg und Krise der deutschen Atomwirtschaft, p. 434 이하; Dieter Rucht, "Anti-Atomkraftbewegung," R. Roth & D. Rucht, eds., Die sozialen Bewegungen in Deutschland seit 1945, pp. 245-266.

12. 고유경, 「"그것은 역사이다. 고향의 역사이자 세계의 역사이다!". 뷜 반핵운동에 나타난 지구지역성」, 『이화사학연구』 9집, pp. 287-318; Jens Ivo Engels, "Geschicht und Heimat. Der

Widerstand gegen das Kernkraftwerk Wyhl," Kerstin Kretschmer, eds., Wahrnehmung, Bewusstsein, Identifikation. Umweltprobleme und Umweltschutz als Triebfedern regionaler Entwicklung (Freiberg, 2003), pp. 103–130.

13. Frank Uekötter, "Umweltbewegung zwischen dem Ende der nationalsozialistischen Herrschaft und der 'ökologischen Wende': Ein Literaturbericht," Historical Social Research, Vol. 28, No. 1/2 (2003), pp. 270–289; Axel Goodbody, ed., The Culture of German Environmentalism: Anxieties, Vision, Realities (New York, Oxford, 2002).

14. 고유경, 「"그것은 역사이다. 고향의 역사이자 세계의 역사이다!"」, p. 289, p. 302 이하.

15. 고유경, 「"그것은 역사이다. 고향의 역사이자 세계의 역사이다!"」, p. 297; 임성진, 「원전개발에서 폐쇄에 이르기까지 독일 원자력정책의 변천과정: 행위자간 관계를 중심으로」, 「대한정치학회보」 9집, 2호 (2011, 겨울), p. 38.

16. 이에 대해서는 Rolf-Peter Sieferle, Fortschrittsfeinde? Opposition gegen Technik und Industrie von der Romantik bis zur Gegenwart (München, 1984); Jost Hermand, Grüne Utopien in Deutschland. Zur Geschichte des ökologischen Bewußtseins (Frankfurt a. M., 1991) 참조.

17. Oswald Spengler, Der Mensch und die Technik. Beitrag zu einer Philosophie des Lebens (München, 1931).

18. Joachim Radkau, Aufstieg und Krise der deutschen Atomwirtschaft, p. 434 이하.

19. 송충기, 「68운동과 녹색당의 형성: "제도권을 향한 대장정"」, 「독일연구」, 제16호 (2008), p. 68, p. 72.

20. 임성진, 「원전개발에서 폐쇄에 이르기까지 독일 원자력정책의 변천과정」, p. 27–49.

21. Raymond Dominick, "Capitalism, Communism and Environmental Protection," p. 320.

22. Joachim Radkau, Aufstieg und Krise der deutschen Atomwirtschaft, p. 451; 박진희, 「독일의 탈핵은 어떻게 가능했는가」, p. 144.

23. 독일의 대표적 환경사학자 라트카우는 지역적 한계를 넘어서고 전문가들도 개입하여 공공적 성격을 띤 독일 반원전 운동의 기점을 뷔르가센(Würgassen) 핵발전소 건설의 반대 운동으로 잡는다. Joachim Radkau, Aufstieg und Krise der deutschen Atomwirtschaft, p. 446 이하.

24. Roland Roth & Dieter Rucht, eds., Neue soziale Bewegungen in der Bundesrepublik Deutschland (Frankfurt a. M., 1987).

25. 조지 카치아피카스 저, 「정치의 전복. 1968 이후의 자율적 사회운동」, pp. 177–190.

26. 고유경, 「"그것은 역사이다. 고향의 역사이자 세계의 역사이다!"」, pp. 303–305; Wolfgang Sternstein, "Der Alltag des Widerstandes. Probleme einer langdauernden Platzbesetzung," Theodor Ebert & W. Sternstein, eds., Roland Vogt, Ökologiebewegung und ziviler Widerstand. Wyhler Erfahrungen (Stuttgart, 1978), pp. 34–50.

27. 박진희, 「독일은 어떻게 탈핵과 에너지 전환을 추진하고 있는가」, pp. 135–136; Dieter Rucht, "Anti-Atomkraftbewegung," pp. 252–253. 그밖에 http://www.hdg.de/lemo/html/DasGeteilteDeutschland/NeueHerausforderungen/Buergerbewegungen/antiAtomkraftBewegung.html 참조.

28. 브로크도르프에서 수천명의 원전 노동자들이 일자리 상실과 국가 기술경쟁력 저하를 이유로 시위를 벌인 이래 여러 도시들에서 노동자와 사용자들의 친(親)원전 시위가 이어졌다. Dieter Rucht, "Anti-Atomkraftbewegung," p. 251.

29. J. Samuel Walker, Three Mile Island. A Nuclear Crisis in Historical Perspective (Berkeley,

Los Angeles, London, University of California Press, 2006), pp. 1-28.

30. Dieter Rucht, "Anti-Atomkraftbewegung," p. 251.

31. 고어레벤 지역에 거주하는 200여명의 농업인들이 1779년 결성한 "농업인 긴급 대책협의회 (Bäuerliche Notgemeinschaft)"가 트랙터로 길을 막고 시위를 벌인 것은 바로 이와 같은 인식에서 비롯된 것이었다. Dieter Halbach & Gerd Panzer, Zwischen Gorleben & Stadtleben. Erfahrungen aus drei Jahren Widerstand im Wendland und in dezentralen Aktionen (Berlin, 1980), p. 50.

32. Peter Wagner, "Contesting Policies and Redefining the State: Energy Policy-making and the Anti-nuclear in West Germany," Helena Flam, ed., States and Anti-Nuclear Movements (Edinburgh, 1994), pp. 264-295. 마이어 타쉬는 이때의 상황을 "생태주의적 내전"이라 묘사한다. Peter Cornelius Mayer-Tasch, Die Bürgerinitiativbewegung (Reinbek, 1981), p. 28.

33. Lutz Mez, "Von den Bürgerinitiativen zu den Grünen. Zur Entstehungsgeschichte der Wahlalternativen in der Bundesrepublik Deutschland," Roland Roth & Dieter Rucht, eds., Neue soziale Bewegungen in der Bundesrepublik Deutschland, pp. 263-276; Wolfgang Hertle, "Larzac, Wyhl, Brokdorf, Seabrook, Gorleben. Grenzüberschreitende Lernprozesse Zivilen Ungehorsams," Komitee für Grundrechte und Demokratie, ed., Ziviler Ungehorsam. Traditionen, Konzepte, Erfahrungen, Perspektiven (Köln, 1992), pp. 83-106

34. 송충기, 「68운동과 녹색당의 형성: "제도권"을 향한 대장정」, pp. 51-75; Jens Goldschmidt, Von der Anti-Atomkraft-Bewegung zur Gründung der Partei 'Die Grünen' – Eine Metamorphose? (München, 2011), pp. 53-66.

35. Dieter Rucht, "Anti-Atomkraftbewegung," p. 254.

36. Franz-Josef Brüggemeier, Tschernobyl, 26. April 1986. Die ökologische Heruasforderung (München, 1998); Raymond Dominick, Environmental Movement in Germany: Prophets and Pioneers, 1871-1971 (Bloomington, 1992), pp. 190-195.

37. 임성진, 「원전개발에서 폐쇄에 이르기까지 독일 원자력정책의 변천과정」, p. 40.

38. 임성진, 「원전개발에서 폐쇄에 이르기까지 독일 원자력정책의 변천과정」, p. 44.

39. 박진희, 「독일은 어떻게 탈핵과 에너지 전환을 추진하고 있는가」, pp. 144-145.

40. Karl Jaspers, Die Atombombe und die Zukunft des Menschen (München, 1961), pp. 17-18.

41. Ilona Stölken-Fitschen, Atombombe und Geistesgeschichte. Eine Studie der fünfziger Jahre aus deutscher Sicht (Baden-Baden, 1995), pp. 244-245.

42. Holger Nehring, "Cold War, Apokalypse and Peaceful Atoms," p. 155.

43. 평화적인 핵기술 사용이 원자폭탄 사용을 막을 수 있는 지름길이라는 주장은 반원전 운동이 자리 잡기 전까지는 꽤 영향력을 행사했다. Joachim Radkau, Aufstieg und Krise der deutschen Atomwirtschaft, p. 434.

44. Gar Smith, Nuclear Roulette. The Truth about the Most Dangerous Energy Source on Earth (Vermont, 2012), p. 56 이하.

45. Joachim Radkau, Aufstieg und Krise der deutschen Atomwirtschaft, p. 364 이하.

46. Joachim Radkau, Natur und Macht. Eine Weltgeschicht der Umwelt (München, 2000), p. 306 이하. 라트카우에 의하면 "Ökologie"라는 용어는 1866년 에른스트 헤켈(Ernst Haeckel)이 "경제학(Ökonomie)" 개념을 변용하여 같은 정도의 학문적 수준을 요구하며 만들었다고

한다. 같은 책, p. 308 참조.

47. Joachim Radkau, "Hiroshima und Asilomar. Die Inszenierung des Diskurses über die Gentechnik vor dem Hintergrund der Kernenergie-Kontroverse," Geschichte und Gesellschaft, Vol. 14 (1988), pp. 329-363.

48. Dieter Rucht, "Anti-Atomkraftbewegung," p. 265.

49. 이러한 입장으로는 대표적으로 Michael Ignatieff, Human rights as politics and idolatry (Princeton, Oxford, 2001) 참조.

50. 인간의 본질적 '취약성(vulnerability)'을 인권의 근거로 보는 관점으로는 Bryan S. Turner, Vulnerability and Human Rights (The Pennsylvania State University, 2006), 특히 pp. 25-29 참조. 실제로 인간의 삶은 모든 종류의 재앙에 노출되어 있다. 후쿠시마 원전 사고가 웅변적으로 보여주듯, 핵시설은 기술적 한계만이 아니라 지진, 해일 등과 같은 자연적 재해, 항공기 추락이나 테러 등 인공적 재앙으로 인해 언제든 인간 삶을 붕괴시킬 위험성을 내포하고 있다.

51. Joachim Radkau, Die Ära der Ökologie. Eine Weltgeschichte (München, 2011), 특히 "III. Die 《ökologische Revolution》 um 1970" 참조. 반원전 운동을 인권 운동으로 해석한 시각으로는 특히 Bernd Drücke, Atomkraft? Abschalten! Widerstand, Geschichte(n) und Perspektiven für eine Anti-Atom-Revolution (Münster, 2012) 참조. 그밖에 반원전 운동에 참여한 시민들의 생생한 목소리를 담은 Willi Baer & Karl-Heinz Dellwo, eds., Lieber heute aktiv als morgen radioaktiv II: Chronologie einer Bewegung (Hamburg, 2012) 참조.

52. Bernd Hirschl, Erneuerbare Energien-Politik. Eine Multi-Level Policy-Analyse mit Fokus auf den deutschen Strommarkt (Wiesbaden, 2008), p. 197 이하.

53. Raymond Dominick, "Capitalism, Communism and Environmental Protection," p. 321. 독일에서의 재생에너지 가동 현황에 대해서는 다음의 사이트를 참조. http://www.dw.de/power-exports-peak-despite-nuclear-phase-out/a-16370444.

54. 허구적 평화주의와는 별개로 탈핵과 평화의 문제는 결코 간과되어서는 안 된다. 탈핵 운동의 '생태주의적 전환'은 이른바 '신(新) 평화 운동'과 맥을 같이 한다. 이에 대해서는 Susanne Schregel, Der Atomkrieg vor der Wohnungstür. Eine Politikgeschichte der neuen Friedensbewegung in der Bundesrepublik 1970-1985 (Frankfurt a. M., 2011), pp. 69-75 참조.

시민의제사전 2018
2018년 1월 11일 초판 1쇄 펴냄

편저 ∣ 민주시민교육원 '나락한알'
펴낸이 ∣ 박윤희
펴낸곳 ∣ 도서출판 소요-You
디자인 ∣ 윤경디자인 070-7716-9249
등록 ∣ 2013년 11월 12일(제2013-000009호)
주소 ∣ 부산시 중구 대청로137번길 11
전화 ∣ 070-7716-9249
팩스 ∣ 0505-115-5618
전자우편 ∣ pyh5619@naver.com

ⓒ 2018, 나락한알
ISBN 979-11-88886-01-2
값 13,000원

이 도서의 국립중앙도서관 출판예정도서목록(CIP)은 서지정보유통지원시스템
홈페이지(http://seoji.nl.go.kr)와 국가자료공동목록시스템(http://www.nl.go.kr/kolisnet)에서
이용하실 수 있습니다. (CIP제어번호: CIP2018000233)

*잘못된 책은 구입하신 곳에서 바꿔드립니다.